일말의 연화

발 행 | 2024년 5월 7일
저 자 | 임수민
펴낸이 | 한건희
펴낸곳 | 주식회사 부크크
출판사등록 | 2014.07.15.(제2014-16호)
주 소 | 서울특별시 금천구 가산디지털1로 119 SK트윈타워 A동 305호
전 화 | 1670-8316
이메일 | info@bookk.co.kr

ISBN | 979-11-410-8385-4

www.bookk.co.kr

일말의 연화

일말의 연화

임수민 지음

차례

프롤로그

그날 하늘은 깊디깊은 심해처럼 어두웠고, 바람은 그 어떤 칼날보다 날카롭게 요동쳤다.

중학교를 앞두고 남아있던 것은 텅 빈 거실을 지키고 있는 소중한 사람들의 영정 사진뿐이었다.

소중한 사람들을 잃었다.

더 이상 살아갈 의미가 없다고 생각했다.

분명 그렇게 생각했다.

그녀는 조용히 앉아있는 나에게 서슴없이 다가와 다정히 말을 걸어주었다.

유독 나에게만 거리낌 없는 모습을 보였다.

오랫동안 나를 알고 지내왔던 사람같았다.

나 누군지 못 알아보겠어?

전혀 기억이 나질 않는다.

누구지? 누군데 그런 서글픈 눈을 하고 있는거야.

오늘 했던 말들은 다 잊어줘.

그런 비참한 말들을 하고서는 다 잊어버리라는 게 말이 되는 거야?
그녀의 말 하나하나가 뇌를 관통하는 기분이다.
기억조차 나지 않는 사람. 혼자서만 슬픈 얼굴을 하고 있는 사람.
하지만 도무지 미워지지 않는 사람.
도대체 누구지….
날 왜 이리 괴롭히는 거야….

방 한편 친숙한 향기를 풍기는 졸업 앨범 하나.

이날을 기점으로 나의 삶은 비상하기 시작했다.

제1화

2021년 4월 5일. 오늘 나는 전교생이 보는 앞에서 자살을 계획했다.

이제는 허구한 날 멍청하게 쳇바퀴나 굴리는 햄스터 같은 인생을 그만두고 싶어졌기 때문이다.

과연 내가 앞으로 재미도 없고 지루하기만 한 이 삶에서 얻을 수 있는 것들이 몇 개나 될까.

아무리 생각해도 빨리 죽는 거 말고는 답이 도출되지 않는다.

조회가 끝날 때쯤이면 모든 것을 내려두고 편해질 수 있겠지….

그렇게 계획 실행까지 몇 분 남짓 남았을까.

"자, 집중해라."

한 손에는 훈계 용도인 얇은 나무 막대기를 들

고, 담배 찌든 냄새를 폴폴 풍기는 주름진 손가락. 올해 1학년 담임의 우렁찬 호령이 떨어졌다.
저 사람은 올해 50살을 간당간당하면서 아직까지 약혼자, 아니. 여자친구 하나 없는 걸로 안다.
하긴. 무슨 말만 하면 미간을 저렇게 찡그리고 있으니….
"…"
곧 있으면 죽을 사람이 뭐라 할 처지는 아닌 것 같다는 생각이 들었다.
뭐 어쨌건, 저 사람이나 나나 불행한 처지라는 건 사실이니까.
담임은 한껏 미간을 찡그리며 담배 때문에 쌓인 것 같은 가래를 종이컵에 카악 뱉었다.
평소 담임이 공지 사항 같은 것을 말하기 전, 갈라지는 목소리를 가다듬기 위한 행동인 것 같았다.
"좋은 소식이 하나 있다."
"오늘부터 너희에게 새로운 전우 한 명이 생길 거다. 그러니 괴롭히지 말고 잘해주도록."
"다들 알겠나?"
전학생이 한 명 온다는 소리 같았다.
학기가 시작한 지 한 달도 채 되지 않았는데

전학생이라니.

순식간에 조용했던 반의 분위기는 기대에 찬 목소리들로 소란스러워져갔다.

"선생님 남자인가요?!"

"남자는 무슨, 너랑 똑같은 여자다."

"으악…."

성별 하나로 주위에서는 희비가 갈리고 있었다.

전학 온 남자와 연인 관계로 발전할 수 있다는 자신감이라도 있는 걸까.

자신과 성별이 다르다는 이유로 왜 비극을 느끼는지 이해가 잘 가지 않았다.

나는 애써 이 소란을 무시하기 위해 화장실을 가려 자리에서 일어났다.

그 순간, 문밖 처음 보는 한 여자와 눈이 마주쳤다.

오늘 온다는 전학생인 것 같았다.

작은 얼굴에 비해 눈이 상대적으로 큰 것 같았으며, 오른쪽 눈 밑에 있는 눈물점은 유독 나의 이목을 끌었다.

적당한 크기의 눈물점이 가녀린 외모를 더욱 돋보이게 만드는 느낌이었다.

시리얼을 우유에 말아먹는 느낌?

비유가 조금 이상하지만 한마디로 군더더기 없는 조화였다.
전학생의 얼굴에서는 왜인지 은은한 미소가 새어 나오고 있었다.
나를 보고 미소를 지은 건지는 확실하지 않았지만, 시선은 정확히 내 눈을 바라보고 있었다.
기분이 묘해져 버린 나는 화장실에 가려던 것을 멈추고 그냥 자리에 앉았다.
엎드려 잠이라도 자려던 찰나,

드르륵-

"김도아라고 합니다. 잘 부탁드려요."
눈 깜짝할 순간이었다.
단 한 명의 목소리만으로 반의 달궈진 열기는 금세 식어 내려앉았다.
외관과는 다르게 기운찬 목소리가 나의 신경들을 곤두서게 만들었다.
망설임이라고는 찾아볼 수도 없는 헌연함이 몸주위를 맴돌고 있는 것만 같았다.
나와는 정반대의 면모.
교실에서 제대로 마주한 전학생의 모습은 백옥

같은 하얀 피부에 가느다란 몸매가 유독 눈에 띄었고, 은은하게 갈색이 겉도는 단발머리 또한 꽤 개성이 있어 보였다.

성격뿐만 아니라 외형 역시 음침한 나와는 정반대의 산뜻한 느낌이었다.

아몬드 시리얼이 아닌, 초코 시리얼을 우유에 말아 먹는 느낌.

조금 더 구체적인 표현이 좋으려나.

그래. 한 번쯤은 누군가의 첫사랑이 되었을 법한, 그런 달콤한 향기를 가득 풍기는 여자아이였다.

구구절절 이곳에 전학 오게 된 이유를 들어보니 대충 부모님의 사정으로 이사를 왔다는 흔한 레파토리였다.

대충 얘기하고 아무 자리나 가서 앉지.

사람들은 왜 이렇게 말이 많은지 모르겠다.

딱 필요한 용건만 말하고 살아도 불편함 없이 잘 살 수 있을 텐데.

다들 어리석은 것 같다.

"……잘 부탁드립니다!"

그렇게 나의 따분함이 한계에 도달하기 직전, 타이밍 좋게 자기소개가 막을 내렸다.
전학생은 왜 나를 보고 반갑다는 듯이 웃었던 걸까. 지금도 자꾸만 나와 눈이 마주친다.
도저히 종잡을 수가 없는 여자 같았다.
쟤도 내가 가장 만만해 보였나….
기분이 이상해진 나는 책상에 냅다 머리를 처박았다.
누군가가 나를 보며 히죽거릴 때는 항상 이런 생각부터 들게 되는 것 같다.
나 스스로도 어릴 때부터 세상을 부정적으로 바라보는 경향이 있다는 것쯤은 눈치를 채고 있었다.
그러나 이것에 대해 굳이 고치려는 노력이나 생각 따윈 해보지 않았다.
부정적인 관념의 형성으로 인해 의외로 득 본 것이 많았기 때문이다.
다행이라 해야 할지 불행이라 해야 할지는 잘 모르겠지만, 어렸을 때부터 무수한 비난의 시선을 받으며 자라온 탓에 이제는 타인에게 별 감정이 느껴지지 않는다.
감정이란 감각이 서서히 둔해짐을 느낄 때마다,

사람은 적응의 동물이 확실한 것 같다는 생각이 들었다.

"저기…."

그때, 본의 아니게 눅눅한 기분에 빠져 허우적거리고 있는 나를 누군가 불러일으켰다.

오늘도 어김없이 귀찮음에 찌든 담임의 목소리가 들릴 것이라 생각했지만, 조잡한 소음을 뚫고 나의 달팽이관으로 흘러들어온 것은 10대 여성의 맑고 청아한 목소리였다.

예상치 못한 상황에 나의 사고 능력이 물렁물렁해지는 것만 같았다.

왜 나한테 말을 거는 거지?

성별을 떠나 동급생이 나에게 말을 건다는 것 자체가 너무 오랜만이라 회의감이 느껴졌다.

나는 평소 하지도 않는 기지개를 있는 힘껏 켜며 자연스레 고개를 들었다.

엎드리고 있었더니 이마가 지끈지끈 아파왔다.

"아, 깨워버렸네."

일어나자마자 옆에서는 의문의 목소리가 들려왔다.

미소를 짓던 그 여자였다.

"…왜 내 옆에."

전학생은 당연하다는 듯 내 옆자리에 자리를 잡고 있었다.

"응? 나 여기 있으면 안 되는 거야? 서운한걸."

"아니, 그런 건 아니고."

전학생에게 망설임 따윈 없는 것 같았다.

조금은 거리낌을 가지라는 의미에서 일부로 꺼려하는 내색을 보였지만, 물 흐르는 듯한 능청스러움에 나의 반감은 금세 바닥을 쳐버렸다.

왜 평소 같지 않게 타인의 말에 동요하게 되는 걸까. 뜬금없이 거룩하고 더러운 느낌이 몰려왔다.

이것들은 순식간에 나의 뼈마디 사이사이를 빠르게 파고들어 와선 모든 곳을 헤집기 시작했다.

심한 독감에 걸린 것처럼 몸에 힘이 쭉 빠지는, 그런 불쾌한 느낌. 가슴이 답답하고 괴로워졌다.

단순한 이질감인가?

아니. 내가 익히 아는 느낌들과는 차원이 다른 수준의 거북함인 것 같았다.

나는 애써 두 손을 꽉 움켜쥐며 창밖을 바라보았다.

부드러운 산들바람을 추진력 삼아 춤을 추듯 떨어져 가는 벚꽃잎들은 금세 나의 온몸 마디마

디를 분홍빛으로 채워 나갔다.
조금은 마음이 편안해지는 기분이었다.
"저기 괜찮아…?."
옆자리에서 다시금 소리가 들려왔다.
처음과는 다른 요연한 목소리였다.
아마 내가 대화하다 말고 갑자기 고개를 돌려 무례하게 보였을 것 같았다.
"미안. 갑자기 딴생각이 나서."
"그런 거구나, 완전히 무시당한 줄 알고…"
생각보다 자기 속마음을 거침없이 말하는 성격이라는 것을 느꼈다.
전학생은 교복 마이를 벗으며 천천히 말을 이어갔다.
"혹시 나 기억 안 나?"
"…?"
당혹스러움에 딸꾹질이 나올뻔했다.
아니지. 이 생각을 하고 나자마자 바로 딸꾹질이 나와버렸다.
기억이 나지 않냐니. 내가 정말로 정확히 들은 게 맞는 건가?
얘기를 하면서 어느 정도는 낯이 익다는 느낌을 받긴 받았지만 딱 거기까지였다.

평생을 혼자처럼 살아왔던 나로선 주변에 아는 사람 한 명조차 제대로 데리고 있지 않았기에, 이 여자가 누군지 더더욱 알 리가 없었다.

"당연하지. 우리 오늘 처음 본 거잖아."

잘 모르겠다는 것을 강조하기 위해 한 손으로 머리를 긁적거리며 대답했다.

"…그렇구나."

그러자 예상했다는 표정의 전학생은 나를 차갑게 외면하였다.

무슨 조울증도 아니고 이렇게 감정 변화가 심한 사람은 처음 봤다.

나는 상대방을 모르는데 상대방은 나를 아는 전기회로같이 막 복잡한 상황인 건가?

아니면 단순한 장난인가?

아무래도 다른 사람의 심리 유추란 쉽지 않게 느껴졌다.

하필 죽는 날에 이런 이상한 일이 일어나다니, 한시라도 빨리 나의 명을 재촉하는 것 같았다.

"……오늘 조회는 여기까지다."

"엎드려서 자지만 말고, 수업 열심히 들어라."

시 낭송만큼이나 지루하고 영양가 없는 담임의 조회가 끝난 모양이었다.
이젠 정말 끝이구나.
더 이상 괴롭지 않아도 되는구나.
지금까지 죽겠다는 마음 다짐은 수도 없이 해왔지만, 막상 때가 되니 몸이 가볍지만은 않은 것 같았다.
그래도 중간에 교통사고 하나 없이 17년이면 나름 장수했다고 생각한다.
세월을 증명하듯 때가 가득한 쓰레기통.
공부와는 적합하지 않게 삐걱대는 책상.
아직도 분필로 수업을 하는 뒤처진 방식.
이제는 이 익숙한 풍경들을 못 본다고 생각하니 속이 후련했지만, 그사이 부대끼고 있는 비루한 풍경이 내 시야에 들어왔다.
나처럼 담임이 나가기만을 호시탐탐 기다리던 사람은 한둘이 아닌 모양이었다.
평소대로라면 얌전히 자리에 앉아 게임 얘기나 했을 남자들은 약속이라도 한 듯, 새로 온 전학생의 주위로 바글바글 몰려들기 시작했다.
"우리 번호교환 할까?"
"남자친구는 있어?"

여기가 학교인지 헌팅 포차인지 구별이 가지 않을 정도의 작업 멘트들이 허공을 오고 갔다.
인기가 많을 것 같더라니….
나는 이쁘고 잘나게 태어났으면 어느 정도의 페널티는 있어야 된다고 생각한다.
수족 냉증이 심해서 겨울에 발이 딱딱하게 굳어버린다든지, 내성 발톱이 있는 발가락을 매번 탁자에 부딪힌다든지 말이다.
이 정도의 페널티라도 없으면 세상은 정말 불공평할 테니까.
"쟤 이름이 뭐라고?"
"전학 오자마자 재수 없네."
달가운 관심뿐만 아니라, 전학생을 향한 질투와 열등감 덩어리들의 아우성도 들려왔다.
뻔한 결과다. 안 봐도 비디오지.
남을 깎아내리고 비난할 시간에 자기 자신한테나 열심히 관심을 가지는 것이 어떨까 싶다.
물론 이런 열등감의 시선이나 외모가 월등한 사람에게 끌리는 사람의 욕망과 본능을 부정적으로 생각하지는 않는다.
어찌 보면 우리 교실과 같은 쏠림 현상이 사회에서의 현실을 아주 잘 담은 표본인 것 같다.

세상에 외모 지상주의가 아닌 사람이 어디 있을까.
아무리 외모를 안 본다는 사람들도 들춰보면 결국엔 단순한 모순덩어리에 불과할 것이며, 인생을 실컷 누릴 대로 누린 기만자 따위일 게 분명할 것이다.
뭐. 어찌 됐건 지금 내가 집중할 것은 세세하게 신경을 기울이면서 분석 놀이를 하는 것 따위가 아니다.
자살을 하는 것만이 최종 목표였다.
그러나 계획이 물거품이 되는 것은 순식간이었다. 교실을 나가려던 찰나, 무언가가 나의 손목을 강하게 낚아채는 것이 느껴졌다.
나는 당황할 틈도 없이 원인 모를 무력에 이끌려 복도를 성큼성큼 뛰고 있었고, 정신을 차린 뒤 손목을 따라 올려다본 곳에는 숨을 헐떡이는 전학생이 있었다.
얼마 뛰지 않았음에도 불구하고 전학생의 목에는 땀이 타고 흘렀던 경로가 말라서 고스란히 드러나고 있었다.
지금이라도 얼른 손을 뿌리치면 될 텐데 이상하리만큼 손에는 힘이 들어가지 않았다.

지구에 있는 모든 중력이 나의 팔을 억누르는 것만 같았다.

내가 이 여자보다 힘이 약한 걸까.

도무지 이해가 가지 않는 상황투성이다.

전학생은 아무도 오지 않을 법한 곳에 도착하고 나서야, 가쁜 숨을 내쉬며 내 앞에 멈춰 섰다.

곧 과호흡으로 쓰러져도 전혀 이상하지 않을 수준이었다.

이 젓가락 같은 손목으로 통나무 같은 손목을 끌고 다녔으니….

"후우…."

복도는 기침 소리와 헐떡이는 소리로 가득 찼다.

"저기 괜찮아?"

나는 예의상 전학생의 어깨를 툭 치며 걱정하는 시늉을 했다.

"후우우…. 응, 완전 괜찮아. 컨디션 최고야."

금방이라도 쓰러질 것 같은 얼굴로 잘도 말하고 있다.

전학생은 3번 정도 숨을 크게 들이마시고 내쉬기를 반복하였다.

"많이 힘들면 양호실이라도……."
"걱정마, 나 진짜 멀쩡해."
깊게 호흡을 하니 어느 정도 진정이 되는 듯 보였다.
"그것보다 나 학교 좀 소개시켜 줄래?"
"학교 소개?"
이번 역시 맥락과 흐름이라는 것을 무시해 버리는 질문이 들려왔다.
사과나 변명은커녕 학교를 소개해 달라니. 이렇게 되면 계획은 어떻게 되는 거지?
순간 이 여자 하나 때문에 내 모든 것이 무산되어 버릴 수도 있다는 생각에 분이 차오르기 시작했다.
"너 지금 이기적이라는 건 자각하고 있는 거야? 가만히 있던 사람 끌고 와서 사과 정도는 하는 게 정상적인 사고방식 같은데."
사과는 별개의 문제였고 나를 장난감 가지고 놀 듯이 대하는 이 쓰레기 같은 태도가 마음에 들지 않았다.
"…아, 미안. 거기까진 생각 못 한 것 같아."
화낸 것이 무색할 만큼 빠른 인정과 사과였다.
"지금까지 무례하게 굴었던 행동 모두 사과할

게. 조금이면 되니까 나랑 어울려주면 안 될까? 부탁해."

"…"

나는 진심 어린 사과에 금세 평소와 같은 맹한 모습으로 돌아왔다.

냉정하게 생각하자.

이런 시답잖은 이유로 시간을 끌고 있기에는 지금까지의 다짐들이 모두 의미 없어져 버린다.

한시라도 빨리 거절하는 것만이 최선의 방법이라는 생각이 들었다.

그러나 마음보다는 몸이 솔직하다 하던가.

앞에 보이는 전학생의 초조한 동공 속에서는 심각하게 고민하는 내 모습이 비치고 있었다.

왜 이렇게까지 나에게 집착을 보이는 거지?

갑자기 어디 구석에나 처박혀 다시는 나오지도 않을 것 같았던 흥미라는 것이 요동을 치기 시작했다.

조금 정도는 괜찮지 않을까.

어차피 죽는 거는 언제든지 죽을 수 있으니까.

이 여자의 장단을 맞춰주고 나서도 충분히 죽을 수 있으니까.

자신의 감정에 솔직하지 못한 나는 그 잠깐 사

이 여러 가지 핑계를 둘러대며 다양한 명분을 만들어내었다.

"…알았어. 따라와."

결국 나는 이 여자의 장단에 어울려 주기로 결심했다.

"고마워. 정호야."

"별말씀을"

이때 나에게 감사 인사를 전하며 지어 보이던 그녀의 따듯한 미소는 평생을 잊지 못할 만큼 아름다워 보였다.

왜인지 심장이 답답하고 먹먹해진다.

일단 오늘의 계획은 조금 미루기로 할까…?

저벅 슥… 저벅 슥…

복도에서는 우리 둘의 발소리만이 울려 퍼지고 있었다.

옆에서 열심히 걷고 있는 그녀의 발은 다리라도 다친 사람처럼 바닥을 질질 끌며 평범하게 걸으라고 하기에도 애매한 소리를 내었다.

뭐. 의외로 규칙적이게 들리는 이 소리는 나의 마음 한편을 편안하게 해주었다.

"여기서 왼쪽으로 꺾고 계속 걸어가면 보건실."
"그리고 여기서 그대로 직진하면은 교무실."
걱정했던 것과 달리 나의 입에서는 술술 말이 나왔다. 내 사회성이 완전히 바닥난 것은 아닌 모양이었다.
"학교 구조가 되게 특이하네. 그러면 체육관은 어디 있어?"
"체육관은……."
우리는 제대로 얘기를 시작한 지 몇십 분 만에 수많은 대화를 주고받았다.
대화를 하며 서서히 저음으로 바뀌는 전학생의 목소리는 하품을 쏟아지게 만들었다.
"너 좀 가까운 것 같지 않아?"
"글쎄. 난 잘 모르겠는데~"
왜인지 전학생은 내가 거리를 벌릴 때마다 일부로 거리를 좁혀 밀착해 왔다.
내심 싫게 느껴지지는 않자, 뭔가 조금 전까지 보던 남자애들과 똑같이 본능에 충실한 놈이 된 것 같았다.
미지근했던 나의 볼이 뜨거워지는 것이 느껴졌다.
"괜찮아?"

방금 전과 안색이 확연히 달라졌다는 것은 나 혼자만 알아챈 게 아니었다.
"응. 다른 생각 좀 하느라."
"정호는 생각할 게 많구나. 괜히 방해한 건 아닌가 모르겠네."
"굳이 신경 안 써도 돼."
내가 다른 사람 때문에 감정이 휘둘리고 있는 상황이 믿기지 않았다.
정체성의 혼동이 온다.
전학생의 평범해보이는 태도들은 나에게 평범하게 다가오지 않았다.
복잡하다. 나의 몸에 있는 혈관들이 모두 엉켜버리는 기분이다.
나는 대화를 통해 이 이상한 긴장감을 풀어보기로 했다.
"저기."
"응. 왜?"
전학생은 기다렸다는 듯 바로 반응하였다.
"…별 건 아닌데, 혹시 너한테 이름을 알려준 적이 있었나?"
나는 고개를 까닥 숙이는 제스쳐와 함께 상대의 눈을 바라보았다.

무작정 대화를 하기 위해 생각해 낸 질문이었지만, 내가 생각해도 뜬금없는 질문인 것 같았다.

평범한 사람이었으면 '어디서 봤겠지'라며 대충 넘길 수도 있는 그런 밋밋한 주제였다.

잠깐의 정적이 흐르자, 전학생은 머리카락을 귀 뒤로 쓸어 넘기며 확신에 차지 않은 듯 말끝을 흐렸다.

"선생님이 알려주셨나…?"

"알려주셨나?"

나는 애매한 대답에 의문을 느껴 되물었다.

"아, 맞아. 선생님이 알려주셨어."

생각보다 싱겁고 미지근한 대답이었다.

괜히 애매한 태도에 찝찝한 느낌만이 혀끝에 맴돌았다.

뭐. 상대방의 이름을 어떻게 알았는지를 정확히 기억하는 사람은 몇 안 될 테니까.

굳이 길게 생각하지는 않기로 했다.

"…저기."

이번에는 내가 대답할 차례인 것 같았다.

"왜?"

"그게 음……. 그러니까."

“나도 별 건 아닌데…. 아아 진짜!”

전학생은 제대로 말하지 못하고 있는 자신이 답답했는지 내 옷깃을 꽉 붙잡으며, 입을 뗐다 붙이기를 반복하였다.

초등학생만큼이나 작은 손으로 내 저지를 힘껏 잡고 있는 모습이 조금 앙증맞은 것 같다고 생각했다.

"그러니까 그…, 우리 서로 부를 때 어떻게 부르는 게 좋을지 호칭을 정해보는 게……."

순간 아찔한 느낌이 들었다.

겨우 이런 거로 혼자 엄청 고민했었을 거란 생각에 웃음이 새어 나올 뻔했다.

어떨 때는 저돌적인 것 같다가 소심한 것 같기도 하고 알다가도 모를 성격이었다.

"그냥 이정호라 부르면 되지 않을까."

"…아 응."

무언가 마음에 들지 않는 눈치였다.

“왜? 할말 있으면 편하게 말해.”

“…그냥 정호라고 불러도 돼?”

처음부터 성을 때고 부르다니 아무렇지 않은척하려 해도 몸이 간질거려왔다.

“난 상관없어.”

"진짜?! 그러면 정호 너도 도아라고 불러줘!"
"도아라고 부르라고?"
"응!"
정호라고 불리는 것도 모자라, 나까지 그냥 이름으로 부르라는 건 너무나도 낯간지럽게 느껴졌다.
"…노력해볼게."
"노력이 아니라 해야 돼!"
"응. 해볼게."
"아니. 해!"
이런 거에선 또 단호해지는 모습이 잘 이해가 되지 않았다.
"…응. 할게."
"좋았어. 합격이야."
도아라…. 단 두 글자만으로 이렇게 예쁠 수가 있나 싶은 이름이었다.
"도아라는 이름 되게 이쁘네. 완전히 변태한 나비가 힘차게 날 것만 같은 이름이라 해야 하나."
너무 직접적으로 칭찬하기엔 어색해, 약간의 농담을 섞으며 그녀의 이름에 관해 얘기하였다.
"…"
그러나 그녀는 나의 칭찬이 겸연쩍게 아무 반

응 않고 시선을 바닥에 꽂기만 할 뿐이었다.
말실수라도 했던 걸까. 순식간에 분위기가 얼어붙는 것 같았다.
"아 나비 말고 그러니까……."
이미 변명을 하기에는 늦은 느낌이었다.
나쁜 뜻이 아니었다는 걸 전하고 싶었지만, 상황이 영 대화를 더 이어갈 수 있을 것 같지 않았다.
역시 알량한 사과라도 하는 게 낫겠다는 생각이 들었다.
"미안. 나쁜 의도는 아니었어."
복도에서는 나의 목소리만이 가득 퍼져갔다.
사과를 한 지 시간이 꽤 지났음에도 그녀는 숨소리조차 내뱉지 않았다.
대화가 할 생각 따윈 없어 보였다.
조심스레 두방망이질 치는 가슴을 억누르며 찬찬히 뜯어본 그녀의 모습에 나는 한층 더 심각해질 수밖에 없었다.
그녀는 어째선지 얼굴을 양손으로 가리고 있었다. 화가 많이 난 것일까.
뜬금없이 시뻘게진 그녀의 귀는 하얀 피부덕에 한층 더 강렬하게 보였다.

"괜찮아…?"

내 목소리가 또다시 정적에 휩싸여가자, 그녀는 절대 내릴 것 같지 않던 양손을 살며시 내리며 나와 눈을 천천히 맞추기 시작했다.

그 순간, 나는 그녀의 얼굴을 보고 몹시 놀랄 수밖에 없었다.

내게 강렬한 인상을 줬던 크고 반짝이는 눈동자 밑으로는 알맹이 같은 눈물이 흐르고 있었다.

두 뺨을 타고 흐르는 눈물은 슬픔이 담긴 알맹이가 아니었다.

그것은 분명 기쁨과 감격. 두 감정이 교차하는 열락의 알맹이들이었다.

"다행이다…."

"정말 변한 게 없구나, 정호야."

순식간에 세상이 공허해졌다. 그녀에게 들리던 미세한 소음들은 어느샌가 사라져 버렸다.

그녀는 알 수 없는 말을 한 후 혼자서 교실로 돌아가 버렸다. 복도에서는 그녀의 달콤한 냄새만이 겉돌고 있다.

변한 게 없다. 이 쓴맛과 밍밍함이 감도는 느낌

의 독백은 무슨 의미였을까.

정말로 나를 알고 있는 사람인 걸까? 아니면 내가 그녀를 잊어버린 것일까?

혼자서 아무리 갖가지 추측을 해봐도 당사자에게 직접 확답을 듣지 않는 한 어떠한 결과도 도출해 낼 수 없을 것 같았다.

나는 수업 종이 치고 있었음에도 불구하고 한참 동안을 제자리에 멍하니 서 있었다.

뒤늦게서야 지나가던 체육 선생님 덕에 정신을 차려 땀이 날 정도로 교실에 달려갔다.

수업을 3분 정도 늦어버렸다.

교실 문을 연 순간, 모든 시선은 나를 향해 뾰족한 화살처럼 쏟아졌다.

유일하게 한 사람만을 제외하고는….

겨우 몇분 늦었다고 이렇게나 끔찍한 시선들을 감당해야 한다는 사실에 두 눈이 질끈 감긴다.

"이정호 벌점. 허구한 날 책상에 누워서 잠이나 자고…. 됐다, 자리에 앉아라."

3분 정도 지각은 면할 수 있지 않겠냐는 약간의 희망이 순식간에 뭉개져 버렸다.

매번 내가 혼나고 있는 모습을 바라보며 소수의 인원은 자기 일이 아니라는 듯 때깔 좋게 깔

깔 웃어댄다.
뭐. 저런 것쯤은 가볍게 넘겨버린다.
조용히 의자를 끌며 훑어본 그녀는 여전히 눈시울이 붉어진 상태로 교과서만을 바라보고 있었다.
수업이 끝날 때까지 나와 눈이 마주치는 일은 발생하지 않았다.
조금 움츠려져 버린 나는 부잣집 부인들이 티타임을 즐기듯 수업 내내 느긋이 창밖만을 바라보았다.
나른한 햇볕에 녹아 졸음이 몰려올 때쯤, 무언가 공지하는 듯한 소리가 들려왔다.
"이번 수행평가는 조별 과제여서 지금부터 2인 1조로 짝을 뽑을 거다. 나에 대한 불평과 불만은 모두 사절."
수행평가를 위해 자신이 정하는 무작위 조로 조별 과제를 하게 만들려는 모양이었다.
나는 예전부터 이런 조 형성 방식이 마음에 들지 않았다.
수행평가가 성적에 들어간다는 것을 뻔히 알면서도 자신이 원하는 사람과 조를 못 하게 한다니.

조가 잘못 걸리면 성적에 진심인 놈들만 손해를 보는 무자비하고 쓰레기 같은 방식이다.
매번 이의를 제기하면 누군가 소외된다는 것을 변명을 이유랍시고 얘기하는데, 영 달갑지 않은 것 같다.
공부를 하지 않는 놈이라도 나름대로 공부를 하는 놈들에 대한 배려는 충분히 해주고 싶다.
1조, 2조, 3조…. 차례대로 조가 짜여기 시작했고, 나는 내 번호가 불리기만을 기다렸다.
그때. "16번하고 32번."
16번. 나의 번호가 불렸다.
"정호야 너 나랑 짝이야."
32번은 우연히 이번에 맨 끝 번호로 배정된 도아였다.
어색해진 분위기를 푸는 데에 요령이 있는 편이 아니라 걱정하고 있었지만, 예상외로 그녀가 먼저 말을 걸어와 다행이라고 생각했다.
"응, 그러네. 잘 부탁해."
"나도 잘 부탁해. 방금 전엔 미안했어. 나름대로 사정이 있어서…."
"괜찮아. 이왕 하는 거 열심히 해보자."
"네. 같은 조가 되어 영광입니다~"

그녀는 언제 눈물을 흘렸냐는 듯, 기운 넘치는 표정으로 나를 바라보고 있다.
조금 전까지만 해도 수학 문제가 안 풀려서 뚱해 있는 사람처럼 굴던 여자가 맞나 싶었다.
'여자 마음은 갈대 같은 거야'라고, 말하던 엄마의 모습이 생각난다.
갈대 같아도 너무 갈대 같은 거 아닌가.
그래도 4월 특유의 봄바람처럼 시원한 듯 따듯하게 밀려오는 그녀의 미소는 내 마음을 기분 좋게 적셔 왔다.
지금까지 생각한 잡생각들이 다 사라지는 것 같았다.

나는 피곤한 몸을 붙잡고 가방 지퍼를 잠그며 얼른 집으로 돌아갈 채비를 하였다.
하루 종일 한 것이라곤 책상에 엎드려 잔 것뿐인데 왜 몸은 가면 갈수록 더 피곤해지는지 모르겠다.
원래라면 야자나 방과후 같은 것들을 의무적으로 해야 하지만, 나는 그냥 집으로 가버린다.
처음엔 야자를 빠지니 몇 번이고 담임에게 불

려 갔었다.
그러나 아랑곳하지 않고 계속 빠지는 내 모습을 보자, 자연스레 나에 대한 관심은 사라져 있었다.
"정호야."
가방을 어깨에 걸치자, 그녀가 나를 불러세웠다.
"…혹시 지금 집에 아무도 안 계셔?"
"그렇긴 한데, 그건 왜?"
"오늘 너희 집에서 과제 할까…?. 아니 그냥 별 뜻은 아니고, 시간상으로 여유로울 때 빨리 시작하는 게 서로 좋지 않을까 해서…."
딱히 아무 말도 하지 않았지만 혼자서 엄청나게 변명을 늘어놓았다.
"넌 야자나 방과후 안 해?"
"…음. 학교에서 의무적으로 하라 했다고 군말없이 학교 지침에 따르는 건 내 가치관이랑 그닥 맞지 않아서."
"난 누구에게도 구속받지 않는 삶이 좋아. 그게 설령 가족이든, 친구든, 아니면 고칠 수 없는 불치병이든."
그녀는 내가 평소에 품고 있던 생각과 굉장히

유사한 가치관을 가지고 있었다.
누구한테서도 구속받지 않는 삶이라…. 꽤 낭만있고 주체적인 것 같아 마음에 들었다.
"그런 이유로 시간도 넉넉하겠다! 같이 과제하는 게 어때? 좋을 것 같지 않아?"
"…잠시만."
나는 엄마 아빠가 떠난 이후로 집을 거의 방치하다시피 놔뒀기에 손님을 대접할 만한 상태가 아니었다.
집에 있는 거라곤 유통기한 지난 쿠키랑 냉장고에 가득한 콜라 정도일 것이다.
과제만 하는 건데 딱히 상관없으려나….
"알았어."
그렇게 나는 그녀를 데리고 도보 10분 거리에 있는 집에 안내해 주었다.
매일 혼자 하교하며 바라보던 고양이 가족, 격하게 일렁이는 주황빛 노을, 나뭇가지를 옮기며 집을 짓는 참새.
이 특출난 것 없던 풍경들을 혼자가 아닌 다른 누군가와 같이 보며 걸어가고 있단 사실은 나의 기분을 들뜨게 만들었다.
"나한테 궁금한 건 없어? 예를 들어서 사는 곳

이라든가, 아니면 생일이라든가."

"정호 너라면 뭐든지 알려줄 수 있어."

"음. 딱히 없는 것 같은데."

"여자들한테 이쁨받을 스타일은 아니구나?"

이 여자가 재미없다는 말을 아주 돌려서 말하고 있다.

"너는 남자들한테 이쁨 받을 스타일이어서 좋겠네. 실제로 아침까지만 해도 남자애들이 득실득실했으니 말이야."

나는 약간 자존심이 상해 빈정거리는 듯한 말투로 그녀에게 맞대응하였다.

조금은 위축당할 줄 알았지만, 그녀는 '그 정도쯤이야'라는 표정을 지으며 한쪽 입꼬리를 치켜세웠다.

"인기 많아서 참 좋으시겠네요."

"전혀. 그다지 좋진 않거든."

오늘 처음 봤지만 거리낌 없는 그녀의 성격 덕에 물 흐르듯 농담을 주고받게 되는 것 같았다.

"노래 같은 거는 좋아해?"

"노래는 취미정도."

"뭐 좋아하는데? 팝송? 재즈? 아니면 파워풀한 록? 아! 그것도 아니면 발라드?"

"별건 아니고, 바운디라는 싱어송라이터…."
"이름 정도는 한번 들어본 것 같아. 좋아하는 이유는?"
내 노래 취향을 남한테 알려주는 날이 오다니, 입이 바싹 마를 정도로 어색하게만 느껴졌다.
나는 여태껏 나의 취미를 타인에게 한 번도 밝힌 적이 없었던 것 같다.
'우와. 네가 노래도 듣는구나'와 같이 동물원 원숭이라도 본 것 같은 반응을 보고 싶지 않았기 때문이었다.
하지만 그녀는 평범한 사람과 달리 특별한 무언가가 있는 것 같았다.
허물없이 나에 대한 모든 것을 알려줘도 될 것만 같은 느낌?
"나랑 나이 차이도 별로 안 나는데 센스가 되게 좋은 것 같아. 멜로디나 분위기라든지, 가사는 말할 것도 없고."
"그 정도로 얘기하니 나도 나중에 들어봐야겠네. 이걸로 우리 공통사가 생기는 건가?"
"노래 다 듣고 나면 얘기해줄게."
"…너무해."
우리는 10분도 안 되는 거리를 걸으며, 단 1초

의 정적도 용납하지 않았다.
계속해서 그녀로부터 오는 질문 공격들을 받아내야만 했다.
"원래 누구랑 같이 있으면 말이 많은 편이야?"
말이 많다고 싫은 것은 아니었지만, 그녀의 입은 과할 정도로 쉬지를 않았다.
조금은 조용히 가는 것도 어떨까 하는 마음이 무심코 입으로 튀어나와 버렸다.
"…미안. 말 좀 줄이려고 노력해 볼게."
"아니, 싫다는 건 아니었어. 오히려 시끄러워서 좋아. 정말로. 진심으로."
말이 끝나기 무섭게 쪼그라들어버린 그녀 때문에 등골이 서늘해지는 것 같았다.
방금까지 어깨가 빳빳했던 주제에 이렇게까지 소심해질 줄이야. 급하게 했던 말을 주워 담느라 애를 먹었다.
이런 우여곡절의 끝에서야 우리는 소나무에 가려 창문조차 보이지 않는 집에 도착할 수 있었다.
"들어오고서 놀라지 마. 청소를 안 한 지 기억도 안 날 정도로 오래돼서…."
"괜찮아! 나도 방 청소 귀찮아서 잘 안 해."

"…뭐. 마음대로 해."

그 정도 수준이 아니라는 걸 말해주고 싶었지만, 우선은 그냥 들어가기로 했다.

"자, 그럼. 실례하겠습니다~"

열쇠를 꽂고 손잡이를 돌리자, 문틈 사이로 보이는 집 내부의 실루엣이 보여왔다.

나의 예상대로 그녀는 들숨이 턱 막히는 소리를 내며 놀란 기색을 숨기지 못하였다.

문을 열자마자 보이는 신발장 위로는 '2017년도 정부 발표'라고 적혀있는 신문지 더미들이 쌓여있었고, 거실로 향하는 복도 주변엔 젠가처럼 가득 쌓인 쓰레기봉투들이 길을 막고 있었다.

나는 이 녀석들과 매일 동거를 해왔기에 별로 놀랍지는 않지만, 이 정도 반응일 줄이야.

그녀의 생생한 반응은 내가 그동안 얼마나 청소를 안 했는지를 확 느끼게 해주었다.

몇초간의 정적이 흘렀다. 그녀는 적잖게 충격을 먹었는지 상당히 복잡해하는 목소리로 내게 질문을 하였다.

"부모님은 뭐 하셔?"

조금은 예민한 주제였다.

"둘 다 먼저 돌아가셨어. 초등학교 졸업식날 내

선물을 사 오시던 길에 과속하던 트럭이랑 부딪혀버려서…."
스스로 태연하게 말하면서도 괜히 울적해졌다.
그녀는 누가 봐도 놀란 것 같은 표정을 애써 감추고선 우리 집 안으로 들어왔다.
그러고선 하얀 교복 셔츠를 팔꿈치까지 걷어 올리며 주변에 널브러져 있던 잡지와 쓰레기 더미들을 주섬주섬 줍기 시작했다.
나는 황당한 나머지 그녀에게 물었다.
"갑자기 네가 우리 집을 왜 치워?"
"집을 어떻게 이 지경이 될 때까지…. 너도 구경하지 말고 도와."
"…아, 응."
뭐라 말할 틈도 없었다.
눈빛이 달라져 버린 그녀에게 이끌려 대청소를 하기 시작했다.
"정호 너는 화장실부터 치워. 나는 쓰레기봉투 좀 버리고 올게."
"…알았어."
화장실, 부엌, 거실, 창고, 방 등 그동안 방치해 두었던 것들에게 수많은 땀과 시간을 쏟아부었다.

우리는 2시간이 훌쩍 넘게 청소를 하고 나서야 각자 소파에 앉아 휴식 시간을 가졌다.
집 안은 태풍이라도 휩쓸고 간 듯 쓰레기 하나 없는 이상적인 주택의 형태로 거듭났다.
거실 바닥이 하도 반짝거려서 광택에 나의 얼굴이 비치는 줄만 알았다.
2시간이나 무리하면서까지 우리 집 청소를 거들다니. 아무리 친한 사이여도 이게 가능한 상황인 걸까?
문뜩 그녀의 속마음이 궁금해지기 시작했다.
"저기. 뭐 하나 물어봐도 돼?"
"도아라고 부르래도."
"미안. 나 이해가 잘 안 가는 게 있거든."
“어떤 게?”
"우리는 분명 같은 수행평가 조라는 것만 빼면 아무런 인연도 없는 사이일 텐데 왜 이런 산전수전까지 겪으면서 나를 도와주는 거야?”
"심지어 오늘 처음 본 사이잖아."
그녀는 잠시 고민을 하더니 대답 대신 씁쓸한 표정을 지으며 나에게 역질문하였다.
"내가 진짜로 누군지 모르겠어…?"
또 같은 소리.

사사건건 물고 넘어지고 싶진 않았지만, 계속되는 똑같은 질문에 진절머리가 날 것만 같았다.

"응. 모르겠어."

나는 나의 확고함을 보여주기 위해 한 치의 망설임도 없이 그녀의 질문을 받아쳤다.

다시 한번 고요한 침묵이 흐르고, 그녀는 대충 예상했다는 듯 한숨을 푹 내쉬었다.

"잠깐이면 되니까 눈 좀 감아줄래."

"눈? 눈은 갑자기 왜……."

"그냥 빨리 감아봐."

이런 상황에 눈을 감으라 하는 것이 이해가 되지는 않았지만, 어서 눈을 감아줘야만 이 고초가 끝날 것 같았다.

"…알았어."

결국 강요당하는 뜨거운 열기의 못 이겨 살며시 눈을 감았다.

그 순간 내 뺨에선 촉촉하고 부드러운 촉감이 느껴졌고, 서둘러 눈을 뜨자 나와 매우 밀착 해 있는 연분홍색 입술이 보이고 있었다.

"…무슨."

그녀는 떨리는 목소리와 함께 눈물을 흘리며 나를 쓰다듬어주었다.

"미안해, 그리고 사랑해…."

제2화

그녀의 사시나무 떨듯 흔들리는 목소리에 생각이 많아지기 시작했다.

내가 꿈을 꾸고 있는 걸까?

오늘 처음 만난 여자를 집에 데려와 같이 집청소를 하며, 마지막으로 입맞춤까지….

꿈이지 않고서야 이 상황들을 설명할 수 없을 것 같았다.

매일이 루프 되는 것처럼 지루하던 일상은 하루 만에 판타지 만화를 뛰어넘는 기적의 연속을 겪어가고 있다.

이런 상황 속, 눈치 없는 나라도 한가지만큼은 확실히 알 수 있었다.

나는 그녀를 모르지만, 그녀는 나를 안다는 것.

그녀가 나를 향해서 했던 말, 행동, 태도, 모든

것들은 곰곰이 되돌아보아도 섣불리 기억을 더듬을만한 수준이 아니었다.

이런 치매 노인같이 안 좋은 기억력은 분명 예전에 있었던 사건으로 인한 것일 거라 생각된다.

"일단 진정하고, 뭐라도 마실래?"

"…응. 부탁할게."

옆에서는 아직 마음의 정리가 되지 않은 듯 훌쩍거리고 있는 그녀가 무릎을 감싸고 앉아있었다.

나는 수명을 다해 깜빡이는 전구를 뒤로 한 채, 불도 안 들어오는 조그마한 부엌으로 몸을 옮겼다.

부엌에는 장을 안 본 지 오래돼서 제 기능도 제대로 못 하고 있는 냉장고 하나가 방치되어 있었다.

이런 일이 있을 줄 알았으면 조금 장이라도 봐 둘걸 그랬나….

아니. 이런 일이 생길 줄 누가 알았을까.

가면 갈수록 어수선해지는 마음으로 인해 쉽게 분위기에 녹아들어 갈 수 없었다.

방치된 냉장고의 내부는 특출난 것 없이 오직 콜라만으로 꽉 차 있었다.

한때 톡 쏘는 탄산의 매력에 빠져있었다는 증거였다.

울고 있는 사람에게 물이나 차도 아닌 음료를 준다는 것이 영 마음에 걸렸지만, 수돗물을 주는 것보단 낫겠다는 생각이 들어 어쩔 수 없이 콜라를 집어 들었다.

"왜 하필 콜라야…?"

그녀는 격하게 흔들리는 음정을 부여잡으며, 작은 목소리로 나에게 물었다. 비꼬는 것이 아닌 진심으로 궁금한 듯한 말투였다.

"밥 대신 콜라만 먹을 정도로 빠졌던 적이 있어서…. 그때 무더기로 사놨던 게 아직도 있네."

"콜라밖에 없어서 미안해."

"생각보다 어린애 같은 면도 있네. 괜찮아, 나도 콜라 좋아해."

그녀는 횡설수설하는 나를 보며 피식 웃고는 옷소매로 눈물을 닦았다.

평소 화장을 하지 않는다는 것을 증명하듯, 그녀는 눈물을 닦았음에도 눈 주위에서는 아무런 번짐조차 일어나지 않았다.

"정호야. 나 부탁이 있는데 들어줄 수 있을까?"

그녀가 콜라 캔을 꽉 쥔 상태로 입을 열었다.

"가능한 선에서 노력해 볼게."

"…고마워. 어처구니없겠지만 오늘 했던 말들은 다 잊어줘. 그게 우리 서로에게 좋을 것 같아."

"오늘 네가 했었던 말들을 전부 내 기억 속에서 없애버려라. 이 소리야?"

"그런 느낌이지."

그녀의 일방적인 통보는 자동으로 눈썹을 찡그리게 만들었다.

전에도 그렇고 이 여자는 너무 자기 멋대로 행동하는 경향이 있는 것 같다.

"…너만의 사정이 있는 거겠지. 솔직히 지금도 묻고 싶은 게 수두룩하지만 일단 참아볼게."

"미안해. 내가 해줄 수 있는 말은 이것뿐이야. 너무 답답하고 괴로워서 더 이상 얘기하긴 어려울 것 같아."

도저히 대화의 흐름을 쫓아갈 수가 없었다.

그녀는 나의 이해와는 상관없이 자신이 하고 싶은 말들을 내뱉고 있다.

말 그대로 울분을 토해내고 있다.

도대체 그녀에게 나는 어떤 존재였길래 이렇게까지 자신의 감정을 허비하는 걸까.

도대체 그녀는 나에게 어떤 존재였길래 이렇게

까지 기억을 떠올리지 못하는 걸까.

"일단 알았어. 현실적으로 아예 지워버리지는 못하겠지만, 지워진 것처럼 열심히 애써볼게."

물론 오늘 일을 깊이 묻어버릴 생각은 단 하나도 없지만 말이다.

"고마워."

그녀는 희미하게 안도의 숨을 내쉬는 것 같았다.

"그럼 내일 보자."

"응. 밖에 많이 어두워졌으니까 웬만하면 가로등 많은 큰길로 가."

"…바보."

기껏 걱정돼서 조심히 가라 말해줬더니 또 보기 좋게 알 수 없는 소리나 하고 있다.

그녀의 뒷모습이 서서히 현관문으로 가려질 때쯤, 약속이라도 한 듯 기운이 쭉 빠지기 시작했다.

세상에서 가장 안락한 침대에 드러눕자, 이제서야 마음의 안정을 찾게 되는 것 같았다.

김도아. 기억이 안 난다는 사실은 변함이 없었지만, 이상하게 이름을 되새길 때면 가슴 한쪽이 쓰라려 온다.

나를 알고 있다는 건 아무래도 우리가 꽤 옛날에 만났었다는 소리겠지…….

중학교 시절까진 어렴풋이 기억나지만, 초등학교로 내려가기만 하면 누군가 주문이라도 건 듯 기억이 가물가물해진다.

장식품처럼 달고 있는 나의 머리를 아무리 쥐어짜 내어도 돌아오는 건 극심한 두통뿐.

그 시절을 떠올리기 위해선 결정적인 퍼즐 조각이 필요할 것 같았다.

초등학교 졸업사진 정도면 조금이나마 힌트가 될 수 있을까?

나의 책상 밑, 구석진 공간에 대충 처박아 두었던 초등학교 졸업 앨범.

겨우 이런 걸로 기억을 끄집어낼 수 있을지 확신이 서질 않는다.

"어디 보자…."

"여기쯤 넣어두었을 텐데."

가끔 마음이 허하다고 느껴지면 의도치 않게 혼잣말이 나오는 것 같다.

개인적으로 혼잣말을 하는 것을 좋아하지는 않는다. 외톨이 같다 해야 하나.

"아, 여깄네."

대충 책상 밑으로 허리를 굽히자, 찾기 좋게 구석에 처박혀있는 초등학교 졸업 앨범이 나의 눈에 들어왔다.
도아가 집 청소를 하면서 구석까지는 미처 신경 쓰지 못했나 보다.
초등학생…. 초자연적인 현상들이나 믿으며 재잘대었을 나이.
오랜만에 만지는 졸업 앨범에서는 마치 4년 전 교실의 냄새가 고스란히 나는 것만 같았다.
졸업사진을 넘기며 같은 반이었던 놈들의 상판대기를 하나하나 확인하기 시작했다.
그래도 이런 물질적인 단서들을 직접 대면하니 가물가물했던 기억이 하나둘 돌아오는 느낌이었다.
"…와 오랜만이네, 얘는 머리카락이 이렇게 짧았었나?" “얘는 키가 좀 컸으려나?”
"얘는 잘 지내려나, 하하 뭐야 이게"
딱히 좋은 추억이 없었음에도, 나와 13살이라는 나이를 같이 보낸 친구들의 얼굴은 정말이지 너무나도 반가워 보였다.
아무 걱정 없이 놀기만 했던 시절. 이제 와서 그때 그 시절이 그리워졌다.

다시 돌아갈 수만 있다면, 지금 나는 한결 더 나은 사람이 되어 있었을까.

추억에 젖는 것도 잠시 모든 반끼리 단체로 찍은 졸업 사진이 눈에 들어왔다.

그 사이에는 익숙지 않은 한 여자아이가 활짝 웃고 있었다.

전교생을 다 외우지는 못하더라도 얼굴 정도는 기억할 수 있을 터인데, 유독 이 여자아이만큼은 아무 기억도 나지 않는다.

이상한 감각이 스멀스멀 올라오기 시작했다.

작은 얼굴에 비해 큰 눈. 이목을 끄는 적당한 크기의 눈물점.

혹시나 하는 마음에 졸업 앨범의 모든 페이지를 뒤져보았다.

그녀와 겹친다.

오늘 전학 온 그 사람과 특징이 겹쳐도 너무 겹친다. 수술 후 마취가 풀린 것처럼 종잡을 수 없는 고통이 나의 머리를 뒤덮는다.

마지막 페이지에 다다를 때쯤, 다른 반의 졸업 사진에서 단체 사진 속 그 여자아이를 발견할 수 있었다.

환하게 웃고 있는 사진 밑에 적혀있는 이름.

김도아.

그동안 잃어버려서 찾지 못하고 있었던 퍼즐 조각이 발견되었다. 정확히 들어맞는다.

잊어버렸던 기억의 일부분들이 점점 살아나는 느낌이 든다. 모든 것이 기억날 것만 같다.

피부를 따끔따끔 건드리는 뜨거운 태양과 공사장 소리만큼이나 시끄러웠던 매미의 울음소리가 공존하던 그날.

그래. 푸른빛이 겉도는 7월의 여름이었다.

▻ ▻ ▻

나는 친구가 한 명도 없었다. 정확히는 왕따였다. 왕따를 당한 이유는 매우 간단했다.

키가 작고 몸이 약하다는 것은 괴롭힘의 타깃이 되기엔 충분한 조건이었다.

물론 처음부터 왕따였던 것은 아니었다.

나 역시 유행하던 게임이나 애니메이션 얘기를 하던 평범한 친구들이 있었다.

당시 인지도가 물오르고 있는 게임이 있었기에 처음 보는 사이였어도 공통사만 존재한다면 쉽게 친해질 수 있는 그런 분위기의 시절이었다.

나랑 가장 친했던 놈들의 이름은 아마 김준과 양태수였을 것이다.

김준은 같은 유치원을 나왔다는 이유로 금방 친해질 수 있었으며, 양태수와는 좋아하는 게임이 겹쳐서 금방 친해졌던 걸로 기억한다.

우리 셋은 학년상 우두머리였기에 선배라는 무서운 존재도 없었을뿐더러, 끊이지 않는 체력 덕에 학교 곳곳을 쉴 틈 없이 누비고 다녔다.

가장 산만하고 장난기 많은 놈들을 뽑으라 하면 바로 우리 이름이 떠오를 정도?

세상이 우리 것 같았다. 누구도 우리에게 간섭하지 못할 것만 같았다.

그러나 나는 뒤늦게서야 뭐든 지나치면 안 좋다는 것을 몸소 깨달을 수 있었다.

내가 왕따가 된 이유는 아침마다 주던 우유. 이 우유 단 하나 때문이었다.

도로의 배수관이 막힐 정도로 장마가 심하게

오던 날, 나는 여느 때처럼 친구들과 전날 저녁에 했던 게임 얘기를 하며 시간을 때우고 있었다.

쉬는 시간에 옹기종기 모여 하던 얘기의 주제로는 게임 얘기가 우리의 흥분감을 최대한 끌어올릴 수 있었다.

"야, 김준. 어제 네가 우리 중에서 제일 못했던 건 인정하지?"

"몰라 몰라. 태수는 뭐 잘했냐? 혼자서 다 이긴다면서 무리하다가 죽었잖아."

"그래봤자 네가 제일 못했어. 인정해라."

우리는 매일 서로를 놀리며 시간을 보내는 게 일상이었다.

성적에 얽매이지 않던 어린 나이엔 게임을 잘하는 것만으로도 묘한 승리감과 우월감이 느껴졌던 것 같다.

특히 이날은 내가 친구들보다 게임을 잘했던 날이라 엄청난 격분에 취해있었다.

나는 한번 재밌는 주제가 나오면 쉽사리 흥분을 주체하지 못하는 성격이었기에, 몸을 역동적으로 움직이며 하고 싶은 말을 표현하곤 했다.

이 습관이 나 스스로를 갉아먹는 행동일 줄은

전혀 상상하지 못했는데….

"그래서 어제 내가 그걸 봤거든. 근데……."

"야, 이정호 너 밑에…."

"왜?"

그래. 나는 그날 게임 얘기에 빠져 그만 바닥에 무언가를 밟아버렸다.

하얀색의 액체.

바람이 빠지는 소리와 함께 내 무게를 버티지 못한 우유가 그만 터져 있었다.

차라리 우유가 터지기만 했다면 다행이었을 것이다.

그대로 터진 우유는 운도 없이 초등학생이라곤 믿기지 않을 만큼 인상이 험악한 옆자리 녀석에게 튀어버렸다.

우유의 경로는 녀석의 양말과 가방을 정확히 강타하였고, 하필 검은색이었던 가방은 새하얀 우유를 부각해 주었다.

본능이었을까.

나는 그 자리에서 이 녀석에게 맞겠다는 생각이 들었다. 사과를 건넬 틈조차 없었다.

앞에 있는 녀석의 어깨가 크게 젖혀지는 게 보임과 동시에 주위의 풍경은 친구 안경을 썼을 때처럼 크게 흐릿해져 갔다.

시끄럽게 웅웅대던 반 친구들의 말소리는 하나도 들리지 않았다.

아, 나 맞았구나. 예상대로 처참하게 짓밟혔다.

녀석은 나의 배를 세게 찬 다음 넘어진 나에게 올라타 무차별적으로 무방비 상태인 얼굴을 공격했다.

아무런 저항도 할 수 없었다.

녀석과의 엄청난 체급 차이는 덤빌 의욕마저 사라지게 만들었다.

숨이 턱 막힐 정도로 짓누르는 무게, 목에 핏줄이 솟을 만큼 화나 있는 녀석의 얼굴.

도저히 반격할 깡다구가 생기지 않았다.

이때 만약 친구들이 도와줬더라면, 누군가 이 싸움을 말려줬더라면 평범하게 학교생활을 할 수 있었을까.

나는 이날 사람의 끔찍한 본성을 마주할 수 있었다.

맞고 있던 와중 흐릿해진 시야에서 가장 먼저 보였던 건 화난 녀석의 얼굴도, 터져버린 우유의 잔해도 아닌, 이 상황을 가만히 지켜보고 있던 나의 친구들이었다.

믿었던 사람들의 배신 아닌 배신은 마지막 남은 저항할 힘마저 앗아갔다.

"너희 이제부터 이 새끼랑 놀기만 해봐."

"이정호 넌 쟤네랑 떠들 때부터 패고 싶었어."

녀석은 내 얼굴을 실컷 쥐어박고 나서야 바닥을 짚고 일어난 후 반 전체에게 경고를 날렸다.

초등학생치고는 꽤 위협이 느껴지는 목소리였다.

고요한 정적만이 교실을 감돌았다.

잔뜩 겁을 먹은 구경꾼들은 몸이 굳은 채 아무 말도 하지 않았다.

동정이 느껴지던 친구들의 시선, 피 비린 맛에 마비된 혀끝, 우유에 젖어 축축해진 나의 등.

세상에서 가장 완벽한 망신이었다.

긴 시간 동안 시계 초침이 굴러가는 소리만이 교실을 가득 채웠고, 누구 하나 선뜻 나서지 못하고 있었다.

그러나 이런 상황 속 뜻밖의 인물이 이 정적을 깨뜨렸다.

"당연하지. 우리 원래 쟤 싫었어."

"맞아. 맨날 잘난 체하고…."

김준과 양태수였다.

싸움을 말리지는 못했어도 어느 정도의 여론몰이는 덮어줄 것이라 생각했다.

우리는 가소로울 정도로 알량한 우정이었다.

김준의 말이 끝남과 동시에 구경꾼들은 "응"이라 말하며 여론몰이에 동참하기 시작했다.

실로 역겨움에 구역질이 났다.

나는 지금까지 친구라는 탈을 쓰고 있던 기회주의자들과 지냈구나.

우유에 젖어 축축한 상태로 책상에 엎드려 눈물이 메마를 때까지 숨죽여 외치고 또 외쳤다.

이 모든 상황이 꿈이었다면.

이 사건 이후, 나는 모두가 알 정도의 외톨이가 되었다.

학교에서는 만신창이가 된 얼굴을 보고도 단순한 친구끼리의 장난 취급을 하였고, 나 또한 부모님에게 장난을 친 것뿐이라며 거짓말을 하였다.

걱정을 시켜드리기 싫었었다.

부모님에게는 친구들과 사이좋고 인기 넘치는 아들로 기억되고 싶었다.

나에게 친근하게 대했던 놈들도 어느샌가 나를 경멸하기 시작했다.

한참은 어린 나이에 사람의 역겹고 더러운 내면을 본 나는 충격에 점점 피폐해져 갔다.

아무것도 생각하기 싫었고, 아무랑도 상종하고 싶지 않았다.

그대로 나는 감정 없는 장난감처럼 삶을 이어갔다.

녀석의 무리는 심심할 때면 나를 화장실로 끌고 가 샌드백 역할을 시켰으며, 화가 날 때면 나에게 주워 담지 못할 폭언들을 일삼으며 감정 쓰레기통 역할을 시켰다.

지금 생각해 보면 내가 당했던 일들은 초등학생이 할 수 있는 괴롭힘의 수준이 아니었다.

한 번은 몸도 마음도 더 이상 못 버틸 것 같았던 적이 있었다.

그날 나는 담임에게 직접 찾아가 당했던 모든 정황을 얘기했지만, "그냥 친구끼리 장난 좀 친 거 가지고 학교폭력이 쉽게 성립이 되는 게 아니란다, 정호야"라며 학교가 끝난 후 서로를 불러 억지로 악수를 하게 했다.

우리 학교는 참된 선생이 하나 없었던 썩을 꼰

대들뿐이었다.

너무 끔찍했던 이 세계는 자연스레 색깔을 잃어갔고, 결국 나의 세상은 어린 나이에 무채색이 되어버렸다.

왕따를 당하며 그동안 바라보던 세상에 대한 견해가 바뀌기 시작했다.

어떻게 살아가든 우리를 기다리고 있는 건 공평한 죽음뿐이기에 열심히 살아갈 이유도, 필요도 없다고.

어느 날, 텔레비전에 나오는 영화 한 편을 보았다. 지구를 대표하는 히어로가 나쁜 악당들로부터 사랑하는 연인을 지키는 내용이었다.

세상이 혼자처럼 느껴지던 나에겐 한 줄기 빛처럼 느껴졌다.

구덩이에 빠져있는 나를 영화 속 히어로같이 구해줄 수 있는 사람이 나타나면 좋겠다고 생각했다.

영화를 본 순간부터 나는 어딘가에 있을지 모르는 히어로에게 매일을 빌었던 것 같다.

'제발 구해주세요, 착하게 살게요'라고.

그러나 현실은 허구한 날 얻어맞기만 하고 있는 비참한 나 자신이었다.

CG 가득한 영화나 보면서 멍청한 망상이나 하던 스스로가 무력하고 쓸모없어 보였다.

"얘는 왜 이렇게 기분이 나쁘냐. 짜증 나네."

"맞으면서 아무 소리도 안내잖아. 무슨 좀비도 아니고."

평소와 같은 날이었다. 영화는 영화일 뿐이라 생각했다.

그런 나의 앞에 그녀가 나타났다.

"야, 너네 그만해."

누군가 내 앞을 막아서며 녀석들의 발길질을 막아주었다.

키는 또래보다 작았으며 굉장히 왜소한 체형을 가진 여자아이였다.

가녀리지만 탄산처럼 청량한 목소리에 피가 거꾸로 솟는듯한 느낌.

정신적으로 죽어가는 나에게 정말로 영웅이 등장했다.

고개를 치켜세우자, 나의 영웅은 녀석들은 저지하기 위해 양팔을 벌리고 있었다.

정말 이게 꿈이 아닌지 볼을 세게 당겨봤지만, 찹쌀떡처럼 쭉 늘어나는 볼에서는 탄력과 아픔이 동시에 느껴졌다.

"네가 누군데, 얘 알아?"

"내가 너네보다 훨씬 잘 알거든. 그러니까 적당히 해. 그 이상 더 하면 선생님께 말씀드릴 거야."

"이상한 놈이네. 가자, 그냥."

그녀의 간결하고 강한 외침에 녀석들은 귀찮다는 듯 혀를 차며 돌아갔다.

눈물이 쏟아졌다. 이 순간만큼은 기억이 잘 나지 않는다. 한참을 울었던 것 같다.

오직 벅차오르는 감정만을 품은 채, 내가 누구였는지도 잊은 채.

"미안해. 조금이라도 더 일찍 왔더라면…."

"괜찮아. 고마워, 진심으로 고마워……."

나는 더 나올 것 같은 눈물을 참아가며, 감사인사를 전했다.

"잠깐 기다려봐."

그러자 여자아이는 서둘러 잠바 주머니를 뒤적거리기 시작했다.

다급하게 주머니에서 꺼낸 것은 곰돌이 마크가 박힌 밴드였다.

"많이 아프겠다. 괜찮아?"

"…응."

엄마처럼 온화하고 안정감이 느껴지는 목소리.
처음으로 학교가 편안하게 여겨지는 순간이었다.
"왜 울고 그래, 바보야."
"방금 걔네가 또 괴롭히면 말해. 내가 지켜줄게. 너 이름은?"
나는 손등으로 남은 눈물을 닦으며 대답했다.
조금 손이 축축해지긴 했지만, 평소와는 다르게 싫지 않은 기분이었다.
"이정호. 넌?"
"잘못 들은 게 아니구나…."
"왜 그래?"
"응? 아무것도 아니야."
"그래서 넌 이름이 뭐야?"
그녀는 어질러진 나의 머리를 작은 손으로 쓱쓱 넘겨주며 상냥하게 대답하였다.
"김도아. 앞으로 잘 부탁해."
"나야말로 잘 부탁해."
죽을 때까지 느끼지 못할 것 같았던 상냥함에 참았던 눈물이 다시 튀어나올 것만 같았다.
"김도아, 이름 되게 이쁜 것 같아."
"…고마워."

이 사건 이후 무채색으로 보이던 내 세계는 그녀에 의해 점점 알록달록 해져갔다.

물론 나를 지켜준다던 그녀의 말을 쉽게는 믿을 수 없었다.

애초에 이걸 믿을 수 있는 사람이 있을까?

갑자기 모르는 사람이 튀어나와선 나를 지켜준다니. 일시적이었던 기쁨도 잠시, 들이닥친 현실을 냉정히 직시하기 시작했다.

시커먼 지우개 가루 같은 사람들의 더러운 본성은 수도 없이 봐왔다.

나 역시 정말 선량할지도 모르는 사람을 무턱대고 의심하기는 싫었지만, 위선만 떠는 번지르르한 녀석일 수도 있다는 가능성이 없진 않기에 경계해서 나쁠 것은 없다고 생각했다.

그러나 시간이 지나면 지날수록, 나의 모든 것은 그녀를 만난 날을 기점으로 변하기 시작했다.

평범한 등굣길은 나만을 위한 무대 같았다.

매일같이 들리던 옆집 부부의 고성, 양말을 아무 데나 벗어놓지 말라는 엄마의 잔소리, 집 주변의 잡초마저 생기 있게 느껴졌다.

한순간에 변해버린 세상은 내가 트루먼쇼의 주인공일 수도 있겠다는 착각을 만들어내었다.

'영화감독이 내 정신 상태를 극한까지 몰아넣고 시청자들에게 극적인 장면을 연출 중인 게 아닐까'하고.

내 존재 자체를 의심할 만큼 그녀와 만난 이후 겪고 있는 모든 상황들이 믿기지 않았다.

나는 지난날의 굳은 각오가 무심할 정도로 금방 그녀의 자상함에 무너져 내렸고, 괴롭힘을 당할 때마다 괜찮냐며 미소를 지어 보이던 듬직한 자태는 희열이 느껴질 정도였다.

나는 어느샌가 그런 그녀의 뒷모습을 바라보며 존경이라는 감정을 품게 되었던 것 같다.

도아는 나만의 히어로가 되어갔다.

녀석들은 도아가 나타난 지 일주일 만에 섬뜩한 끈질김을 느꼈는지, 나를 더 이상 건들지 않았다.

나만의 히어로가 생겼다는 사실은 매일매일 마음을 붕 뜨게 만들었다.

어두웠던 내 인생은 여자 단 한 명, 아니. 김도아라는 히어로 단 한 명에 의해 빛이 보이기 시작했다.

"이제 저 못된 자식들이 괴롭히지 않아서 다행이다, 그치? "

"응. 고마워."

"고마우면 나랑 나중에 놀아줘."

"어? 아 응, 알았어."

"나랑 노는 게 싫은가, 반응이 미적지근하네."

"아니 아니, 그런 거 아니야. 그냥 누구랑 대화하는 게 오랜만이라서 좀 어색하네."

"뭘 그렇게 허둥거려, 농담이야 농담."

이것이 그녀와 제대로 된 첫 대화였다.

아무래도 사람을 대하는 부분에 있어 나의 능력치는 마이너스를 향하고 있었기에 우리가 깊은 관계까진 못 갈 것이라 생각했다.

처음부터 농담을 남발하는 그녀의 꾸밈없는 성격 덕에 둘도 없이 친한 단짝이 될 수 있었지만.

매일 지독히 꾸던 악몽 따위는 초등학교 졸업을 할 때까지 단 한 번도 꾸지 않았다.

나의 외모를 음침하게 만들던 까맣고 짙은 다크서클마저 서서히 없어져 갔다.

이런 나의 변화를 느꼈는지 집에 계시던 부모님도 한 말씀씩 거들곤 했다.

"아들, 요즘 안색이 좋네."

"정호야, 여자친구라도 생겼냐."
"아닌거든요~"
나의 심상치 않은 분위기에 얼음장 같았던 우리 집마저 꽃봉오리를 피우기 시작한 꽃처럼 따듯해져 갔다.
학교에 가는 것이 행복했다. 새로운 내일을 기다리다 지쳐 매일 밤이 너무나도 길게 느껴졌다.
도저히 이 기분을 내가 알고 있는 단어만으로는 표현할 수 없을 것이라 생각했다.
그런 그녀에게 큰 은혜를 입은 나는 어떻게 이것을 다 갚아야 할지 골똘히 생각해 봤지만, 생각할 틈도 없이 고뇌하는 나에겐 더더욱 빚더미 같은 은혜가 쌓여갔다.
도아는 나를 지켜준 것으로도 모자라, 친구라는 것이 무엇인지 알려주었다.
쉬는 시간마다 우리 반을 찾아와서는 말동무가 없는 나에게 대화를 걸어 주었다.
겉으로만 친구인 척하던 전날의 녀석들과는 달리 그녀에겐 오로지 순수한 냄새만이 풍기고 있었다.
전혀 악의가 없는 도아의 마음이 갈수록 뚜렷하게 보이기 시작했다.

그녀에 대한 불신이 호감으로 바뀌게 될 때쯤, 굳게 닫혔던 마음의 문은 활짝 열리게 되었다.

한동안 마음의 문을 닫고 있었던 나는 굳게 닫혀있던 정들을 전부 도아에게 쏟아내었고, 우린 같이 밥도 먹고 등하교도 하는 일반적인 친구의 형태로 자리를 잡아갔다.

또한 도아는 나에게 향수 같은 존재였다. 김도아라는 향수.

나는 사람의 체취가 곧 사람의 인상과도 가깝게 이어져 있다고 생각한다.

향수란 기본적으로 상대방에게 좋은 인상을 안겨줄 수 있는 힘을 가지고 있으며, 그런 우리의 껍데기를 보다 더 매력적으로 만들어주는 아주 중요한 담당자이다.

그렇듯 김도아라는 향은 나의 몸에 채취를 묻혀 거짓말같이 잃었던 사람들을 데려오기 시작했다.

도아는 사람을 불러들이는 힘을 가지고 있었다.

물론 다가왔던 놈들 모두 일종의 기회주의적인 면모라 느껴졌기에 처참히 무시해 버렸다.

그 이후로도 얼마든지 새로운 친구를 사귈 수

는 있었지만, 굳이 다른 사람과 연을 쌓는 일을 자진하진 않았던 것 같다.
친구는 도아 한 명으로 충분했다.

같이 하교를 하기 위해 그녀의 반으로 향하던 날이었다.
"너 요즘 너무하는 거 알아?"
교실 한편에서 큰 언성이 들리고 있었다.
"이정호가 누구길래 그러는데. 왜 계속 우리랑은 안 놀고 걔랑만 놀아?!"
그 열띤 언쟁 속 주제는 다름 아닌 나였다.
도아가 요즘 나랑만 붙어 다닌 탓이었을까. 친해 보였던 친구들은 도아를 향해 이빨을 드러내며 소리를 지르고 있었다.
기존에 놀던 친구들을 소홀히 한 결과 충돌이 생겨버리고 만 것 같았다.
"미안 미안, 나도 어쩔 수 없는 사정이 있어. 이해 좀 해주라."
"그 사정이 우리보다 중요한 거야? 이제 이상한 코 찌질이랑은 그만 놀면 안 돼?"
"그래, 김도아 너 너무 심해."

내가 있는지는 몰랐겠지만 도아 친구들의 말 하나하나는 샤프심처럼 날카롭게 다가왔다.

억지로 자기 객관화가 되던 순간이었다.

"네가 걔에 대해 뭘 아는데?"

그때, 차분하게만 보이던 도아의 언성이 높아지기 시작했다.

"아무리 너희가 모르는 애라고 해도 함부로 얘기하지 마."

방금까지 생글거리며 웃던 얼굴이 생기 하나 없는 싸늘한 표정으로 바뀌어 있었다.

전혀 예상치 못한 반응이었다.

나를 감싸주는 것은 기대 하지도 않았지만, 차라리 적당히 비위를 맞추면서 친구 관계를 이어가길 바랐다.

"너네랑 할 얘기는 없을 것 같아. 내일 보자."

"도아야, 잠깐만 기다려봐!"

그녀는 직설적인 일침을 날리고선 빠른 걸음걸이로 계단을 내려갔다.

몇 달 동안 그녀를 봐왔지만, 저렇게 차갑고 어둡게 식은 표정은 처음이었다.

"너 이정호 맞지?"

혼자 혼란스러움에 허둥거리고 있는 사이, 뒷

문에 있던 나는 도아의 친구들과 맞닥뜨리게 되었다.

"다 듣고 있었어…?"

누가 봐도 몰래 엿듣다가 꼬리가 잡힌 상황이었다.

"일부로 엿들으려고 한 게 아니라, 그냥 어쩌다 보니…."

"……그렇구나. 그러면 우리가 욕한 것도 다 들었겠네. 미안해."

나는 당연히 엄청나게 까이겠다고 생각했지만, 얼떨결에 사과를 받고 있었다.

"아니야, 나도 미안해. 도아랑은 아무래도 나 때문에 싸운 거겠지."

"굳이 말하자면 그렇지. 괜찮아, 우리는 도아랑 최고 베프여서 금방 화해할 거거든."

"그것보다 도아 내려간 지 한참 지났는데, 안 따라가?"

"아 맞다. 고마워, 나 먼저 갈게."

도아의 친구들은 생각보다 좋은 사람들이었다.

내가 겪었던 가짜 우정과는 다른 결의 우정이라는 것을 알 수 있었다.

매일 같이 지나다니던 골목을 넘어 조금 뛰어가다 보니 아담한 체형의 뒤통수가 하나 보였다.

우연을 가정하기 위해 사각 쪽으로 몸을 빠르게 옮긴 후 그녀의 이름을 불렀다.

"김도아, 같이 가!"

주변 누구라도 쳐다볼 듯한 울림이었다.

나의 부름에 그녀는 언제 싸웠냐는 듯 밝은 미소로 나를 바라보았다.

"여기서 만나네? 먼저 가서 숨어있다가 놀래주려 했는데~"

"아깝다. 집이나 가자!"

"내가 어린애냐, 그런 걸로 놀라게."

능청스러움은 하나는 아무리 봐도 세계 1등인 것 같았다.

평소 같았으면 '거짓말하시네'라며 반박했을 터이지만, 이날만큼은 그냥 넘어가기로 결정했다.

"나 요즘 키 큰 것 같아. 잘하면 정호 너랑 비슷하겠는데?"

"네네. 나랑 10센티 차이 나는 건 알고 하는 말이지?"

"누구보다 잘 아니까 조용히 좀 해줄래."

평소와 같이 웃으며 장난을 치는 그녀의 모습

에 조금 안심이 되었다. 그녀만큼은 나 때문에 힘들지 않았으면 좋겠다.

도아가 나 때문에 힘들어진다면 정말 괴로워서 쓰러질지도 모른다.

그렇게 같이 집을 가던 중, 문뜩 도아가 친구들과 싸우던 모습이 떠올랐다.

친해진 지도 별로 안 된 나를 감싸주다니, 도아는 왜 그런 결정을 했던 걸까.

이런 개인의 이득만을 중시하는 세상에서 과연 조건 없는 도움이 있기는 한 걸까?

마음속으로는 도아를 완전히 받아들이고 있었지만, 머릿속으로는 이해가 되지 않는 것들 투성이었다.

"도아야."

"왜?"

"이제 와서 좀 그렇지만, 날 도와줬던 이유가 뭐야?"

나는 결국 여태껏 마음에 담고 노심초사하던 질문을 던졌다.

몸을 가만히 두기가 어려웠다. 내가 혹시라도 심기에 거슬리는 말을 해 우리 사이가 멀어진다면 정말 끔찍할 것 같았기 때문이다.

"궁금해?"

물론 하나 간과한 게 있다면 그녀는 내가 생각하는 것만큼 가벼운 사람이 아니라는 것이었다.

걱정과 달리 도아의 표정은 일그러짐 하나 없는 미소 가득한 얼굴을 띠고 있었다.

"귀 좀 가까이 대볼래?"

"응."

내 인생에서 가장 간질간질했던 순간을 뽑자면 아마 이 순간이었을 것이다.

"…널 좋아하니까. 그리고 날 지켜줬으니까."

"뭐라고?"

"질문에 대한 대답이야, 잘 가!"

나의 귀로 느껴지던 그 민감한 숨결은 온몸에 닭살을 돋게 만들었다.

"…잠, 잠깐."

그녀는 내가 붙잡을 틈도 없이 재빨리 집으로 들어갔다.

그대로 벙쪄버린 나는 굳게 닫힌 문만을 바라보며 가만히 서 있었다.

너무 많은 상황이 갑작스레 지나가 버렸다.

도아의 감정이 진짜였는지 아니었는지는 확실치 않았지만, 나의 감정만큼은 명확히 알 것 같았다.

지금 느끼고 있는 감정은 혼란, 놀람 등과 같은 익숙한 감정이 아니라고.

다양하고 뻔한 감정들 사이에서 유별나게 반짝이며 빛을 내고 있는 녀석.

행복.

행복이란 녀석은 내 마음 한구석에서 뜨겁게 달궈져 그 무엇보다 반짝거리고 있었다.

나도 모르는 사이 입 사이로 새어 나오는 웃음을 급하게 틀어막았다.

넘쳐흐르는 과분함을 견디지 못한 나는 살짝 건방진 생각이 들었다.

행복이 이렇게 쉬워도 되는 걸까?

널 좋아하니까…. 널 좋아하니까….

하루 종일 그녀의 목소리가 메아리처럼 내 머릿속을 헤엄쳤다.

매번 학교를 안 가는 날이었던 주말은 마치 쇠창살 안에 갇혀있는 죄수라도 된 것 같은 기분이었지만, 고백을 받은 다음 날만큼은 전혀 지루하다 느껴지지 않았다.

도아의 말 한마디만으로 낮과 밤을 안 가리며 히죽거렸던 것 같다.

내가 호감이 있던 사람이 나에게 호감이 있다는 사실은 나의 기분을 크게 좌지우지하였다.

아직까지도 말의 사실 여부를 확인할 수는 없었지만, 도아가 이런 것마저 장난 거리로 쓸 사람은 아니라 생각했다.

그런데 그녀가 했던 말들 사이에서는 하나 이해할 수 없는 것이 남아 있었다.

내가 지켜줬다니….

나는 누군가의 히어로가 될 만한 짓은 하지 않았다.

지켜준 적이라 해봤자, 교실에 들어와서 책상에 착지한 말벌을 쫓아낸 정도?

지켜줬다는 말은 꼬리표처럼 붙어 나의 기분을 영 찝찝하게 만들었다.

뭐. 나중에 물어봐도 충분할 것이라는 생각과 함께 뒤숭숭한 일요일의 마지막 밤을 맞았다.

보통 평일 아침은 여느 집안처럼 엄마의 잔소리와 아빠의 준비하는 소리로 잠에서 깬다.

"일어나~ 언제까지 자고 있을래."

"그래, 정호야. 학교 가야지 인마."

매일 다시 눕고 싶은 충동을 참아가며 잼이 발라져 있는 토스트 두 개를 입으로 쑤셔 넣는다.

토스트의 겉면에는 이상한 갈색 잼이 발라져 있었는데 꽤 맛있는 것 같았다.

조금 아쉬운 점이 있다면 숨을 쉴 때마다 탄향이 느껴지는 정도?

난 이런 분위기가 좋았다.

내가 살아있음을 느끼게 해주는 것 같다고 해야 하나.

"학교 다녀오겠습니다."

토스트 두 개를 한 번에 쑤셔 넣어서 그런지 볼록 튀어나온 배에서는 천둥소리가 들려왔다.

나는 그녀와 만났을 때를 대비해 배를 어루만지며 걸음을 옮겼다.

도아에게 나의 허점을 보여주고 싶지 않았다.

남자가 듬직하게 여자를 지키는 모습이 가장 이상적인 형태라고 생각했기 때문이다.

즉 더 이상 남자인 내가 지킴을 받을 수도 없는 노릇이었다.

"오늘도 제시간에 왔네? 얼른 가자!"

주먹을 꽉 쥐며 의지를 다지는 사이, 가까운 거리에 있던 그녀의 집에 도착해 있었다.

"시간 약속은 철저히 지키는 게 당연하지."
"잘난 척하기는~"
아침마다 도아의 얼굴을 보면 기분 좋은 하루를 시작할 수 있었다.
뭔가 안정감도 들고, 편안함도 들고, 쾌활해지는 느낌?
이렇듯 좋은 기분만이 들다 보니 그녀와 함께하는 등교는 어느덧 나의 삶에서 일종의 루틴으로 자리 잡게 되었다.
"어젯밤에 영화 한 편을 봤는데, 엄청 슬프더라. 눈물이 완전 줄줄 나왔어…."
그녀는 머리카락을 귀 뒤로 쓸어 넘기며 얘기했다.
"완전 울보네 김도아, 무슨 내용이었는데?"
"울보 좋아하시네, 너도 그거 보면 무조건, 반드시, 엄청나게 울걸?"
나는 도아처럼 있었던 일을 직접 얘기하는 스타일은 아니었기에 보통 맞장구를 쳐주는 역할이었다.
그래도 그녀의 얘기를 듣다 보면 제법 재밌는 얘기가 많다.
학원 숙제를 안 해서 학원 선생님한테 꿀밤을

맞았다든가, 지나가던 강아지가 쫓아와서 간식을 주었다든가 하는 일상적인 얘기.

이번에는 영화 얘기인 것 같았다.

"나는 누구와 달리 그런 거 보고 한 번도 운 적이 없는 사람이야."

"웃기시네. 어련하시겠어요."

정말 운 적 따윈 없었지만 믿지 않는 눈치였다.

"그래서, 무슨 내용이었는데?"

"…음, 여주인공이랑 남주인공이 서로 사랑하는 사이였거든? 그런데 여주인공이 사랑하는 사람한테도 말 못 할 사정이 생겨서 남주인공을 저버린 채 도망가는 내용."

"뭐야 그게. 그런 우울한 영화를 왜 봐? 남주인공만 불쌍하네."

"…그렇지?"

순간 그녀의 표정이 어두워졌다.

자신이 그 영화 속 비운의 여주인공이라도 된 것 같은 표정이었다.

"왜 그래? 너답지 않게 어두운 표정을 다 짓고."

"그냥…. 슬펐던 장면이 또 생각나서. 빨리 가

자. 학교 늦겠다."

대충 둘러대는 뉘앙스의 말투였다.

나는 그녀가 그깟 영화 하나에 감정이 휘둘릴 사람이 아니란 걸 누구보다 잘 알고 있었기에 혹시라도 무슨 일이 생긴 건 아닌지 걱정이 앞서기 시작했다.

"정호 넌 만약에 내가 여주인공처럼 도망가 버린다 해도 기다려줄 거야?"

그녀는 나의 걱정 어린 눈빛이 따가웠는지 멋쩍게 웃으며 대화를 이어갔다.

엉뚱 맞은 질문에 잠깐 말문이 막혀버렸다.

"무슨 질문이 그러냐, 당연하지."

"마음이라도 고맙네요~"

"왜? 나 놔두고 어디라도 가게?"

불편한 분위기가 형성되지 않도록 그녀를 가볍게 떠봤다. 최대한 딱딱하지 않으면서, 적당히 말랑한 말투로.

"아니, 난 이 마을 아니면 갈 곳도 없어. 정 불안하면 우리 약속 하나 할래?"

나의 근심 가득한 눈빛을 파악했는지, 도아는 약속이라는 가상의 계약서를 제안했다.

"무슨 약속?"

"서로 성인이 될 때까지 외면하지 않기."

"음 벌칙은…, 그래! 상대방한테 사랑한다고 하기. 어때?"

"완전 유치하네, 그래 좋아."

이날 우리는 가볍다면 가볍고 무겁다면 무거운 하나의 계약을 하게 되었다.

겉으로는 유치하다며 비아냥거렸지만, 나는 내심 안심되고 기뻤던 것 같다.

적어도 약속을 한 이상 도아가 날 떠날 확률은 낮아졌으니까.

나는 약속을 하는 중에도 살짝 욕심을 부려, 남몰래 작은 소망 하나를 더했다.

우리의 인연이 하찮은 샤프심처럼 뚝 끊어지지 않게 해달라고.

잔인한 아지랑이가 일렁이며 살을 다 태워버리던 찜통의 여름을 지나, 눈길을 걸을 때마다 뽀득 소리가 가득했던 겨울까지.

우리는 반년간 모든 것을 함께 했고, 마지막 계절인 졸업을 맞이하게 되었다.

짧았던 시간 동안 도아는 나의 정신적 지지대

가 되어 주었다.

하나부터 열까지 나의 버팀목이 되어준 그녀에게는 쌓일 대로 쌓인 이 은혜를 어떻게 갚아야 할지 막막하기만 했다.

그저 고맙고 미안하다는 감정만을 품고서 하루하루를 살아간 것 같다.

이번 졸업식은 그런 나에게 있어 가장 중요한 기회였다.

내가 지금껏 느껴왔던 감정들을 모두 풀기로 결심했기 때문이다.

살면서 한 번도 해본 적 없는 사랑 고백 따윈 한참 까마득했지만, 그녀를 통해서 나 자신을 믿는 방법도 배웠다.

마지막만큼은 멋있게, 그리고 깔끔하게 장식하고 싶은 마음뿐이었다.

그러나 왜인지 졸업식 당일 날이 찾아오자, 속이 답답하며 기분이 우중충해지기 시작했다.

한창 요리 준비를 할 엄마와 급하게 면도를 하고 있어야 할 아빠의 모습은 보이지도 않았다.

커튼을 걷는 순간, 화창할 거라는 날씨 예보와는 달리 하늘은 무슨 일이라도 생길 것 같은 먹구름에 햇빛이 가려져 어두컴컴했다.

먹구름으로부터는 소나기인 듯한 비가 잔뜩 내리고 있었다.

점점 안 좋은 예감이 들기 시작했다.

서둘러 옷장에 있는 옷을 대충 둘러 입고 집을 나섰다.

나쁜 생각을 하면 안 되는데 모두가 날 떠난 것만 같은 느낌이 서늘하게 내 목을 조여 왔다.

내가 가장 먼저 찾아간 곳은 도아네 집이었다.

"김도아, 빨리 나와봐. 지금 급해!"

"잠깐만 나와줘, 제발…."

도아의 집에서는 아무런 인기척도 느껴지지 않았다.

있어야 할 사람의 온기조차 빗물에 섞여 떠내려간 것만 같았다.

그때였다.

"거기서 시끄럽게 왜 그러고 앉아있냐? 그 집 엊그제 이사 갔을 텐데."

옆집에 배가 볼록 튀어나온 하얀 나시의 아저씨가 문을 열고 나와선, 그녀에 관한 소식을 알려주었다.

쓸데없이 불길하던 예감은 정확히 적중해 버렸다.

도아는 졸업식을 얼마 남기지 않은 상태로 약속을 어긴 후 나의 곁을 떠나버렸다.

엎친 데 덮친 격으로 아침 일찍 나의 졸업선물을 사러 간 부모님이 교통사고를 당했다는 부고가 들려왔다.

인생에서 아름다운 추억으로 남았어야 할 나의 졸업식은 잊을 수 없는 고통으로 변질되어 버렸다.

결국 13살이라는 나이에 감당할 수 없었던 충격은 몇 달간 병원에 입원해 의사에게 정신적 치료를 받는 상황으로 이어졌다.

이날을 기점으로 소중했던 사람들과 함께 감정과 기억마저 모두 빼앗겼던 것 같다.

방 안에 박혀 몇 날 며칠을 굶었다. 밥도 먹지 않고 학교도 가지 않았다.

나에게 아무런 예고도 없이 사라져 버린 도아와 부모님에 대한 그리움은 점점 원망으로 바뀌어 갔다.

자연스레 나의 뇌는 그녀를 지워버렸다.

처음부터 없던 사람이었던 것처럼 스스로를 속여버렸다.

김도아라는 사람에 대한 추억은 모두 사라지게

되었다.
극심한 두통이 밀려왔다.
확실히 없애버렸어야 할 기억의 조각들이 어중간하게 떠돌아다니고 있었다.
그녀의 정체, 나에게 다가온 목적, 사랑한다고 한 이유.
나를 망가트린 장본인이 매우 가까운 곳에 숨어있었다는 생각에 모멸감이 차올랐다.
나란 인간이 한심해지기 시작했다.
다시 한번 그녀의 자상함에 속아넘어갔다. 또 같은 상황을 되풀이할 뻔했다.
분노조차 생기지 않았다. 그녀에게 원망도 질타도 하고 싶지 않았다.
단지 몇 가지만 묻고 싶어졌다.
왜 나를 버렸는지. 왜 약속을 어겼는지. 무슨 배짱으로 내 앞에 나타난 건지.
이제는 그녀의 얼굴을 보고 싶지도, 현실을 마주할 자신도 없어졌다.
그녀에게 궁금한 것은 많았지만, 걷잡을 수 없는 허탈감이 대화할 마지막 힘조차 몽땅 가져가버렸다.
특별한 줄만 알았던 그녀가. 다른 사람과는 다

르다고 생각했던 그녀가…….

이 상황을 허탈하다는 표현 말고는 뭐라고 구사할 수 있을까. 죽고 싶을 정도의 배신감?

이제야 죽을 마음이 사라지려 하고 있었는데, 다시 한번 죽음의 문턱까지 올라가 버린 기분이다.

옆에 있던 빈 콜라 캔을 있는 힘껏 찌그러트리자, 벌려진 구멍 사이로 달콤한 액체가 나왔다.

처음엔 분명 달콤했지만, 시간이 지나니 어딘가 쓰게 느껴졌다.

아무래도 김도아라는 사람과는 인연을 끊는 게 맞겠다는 생각이 든다.

상대하지 말자….

지금까지 무시를 받던 사람들을 관찰했을 때 깨달은 것은 대부분 상실감을 느낀다는 것이었다.

자신이 호감이 있는 사람에게 아무런 관심조차 받지 못하면 자존심이 크게 뭉개져 버린다.

서로에 대한 감정의 골은 점점 깊어질 테고, 결국에는 아슬아슬하게 이어져 있던 인연이 끊어질 수밖에 없을 것이다.

나는 우선 지끈거리는 뇌를 뒤로 한 채 깊은

잠을 청했다.

복잡하고 지쳐 쓰러질 것만 같을 때 무작정 자는 것만이 어떨 때는 매우 좋은 수단이 되기도 한다.

"정호야, 얼른 일어나라. 학교 가야지."

익숙한 소리에 금세 잠에서 깨버렸다.

눈을 감은 지 1분밖에 안 지난 것 같은데, 커튼 사이로는 따스한 햇볕이 들어오고 있다.

분명 엄마의 목소리였다.

이런저런 일이 겹치다 보니 드디어 환청이라도 들리는 모양이었다.

기지개를 쭉 켜며 옆에 두었던 시계를 슬쩍 보았다. 8시 10분.

짧고 뭉툭한 초침은 8을, 길고 쭉 뻗어있는 초침은 10을 가르치고 있었다.

등교 시간까지 10분밖에 안 남은 절망적인 상황이 나를 맞이하고 있었고, 잠을 많이 못 자서 그런지 무기력하고 힘이 자꾸만 빠지는 것 같았다.

금방이라도 앞으로 고꾸라질 것만 같은 느낌을

참아가며 급한 대로 집에 있는 비타민을 입에 욱여넣었다.

걸어서 5분 거리였던 고등학교는 뛰어서 가기만 하면 충분히 세이프가 가능했다.

뛰어가면서 보이는 익숙한 풍경들이 오늘따라 경멸스러워 보였다.

바닥에 흩어져있던 벚꽃들이 나의 신발 밑창에 덕지덕지 붙는 것조차 탐탁지 않았다.

단풍보다 못생긴 것들. 괜히 생명조차 없는 물체에 혼잣말을 중얼거리며 비난을 날린다.

별로 뛰지도 않았는데 숨소리가 점점 거칠어져 왔다.

무기력하게 앉아만 있던 나에겐 달리기란 사형선고와도 같았다.

"빨리 안 다니냐, 이놈아."

머리와 몸이 분리돼서 따로 행동하는 것처럼 느껴질 때쯤, 난 아슬아슬하게 교문 안으로 발을 내딛는 데 성공했다.

"죄송합니다."

"앞으로 빨리 다녀라. 그 굽은 어깨 좀 펴고, 사내자식이 말이야…."

"네."

교문 앞에는 내가 그나마 마음에 들어 하는 체육 선생님이 자리를 지키고 있었다.

무심한 듯 내뱉는 말투, 청춘을 지키려는 듯 처절하게 남아있는 곱슬머리, 빵빵한 얼굴.

체육 선생님은 마치 동네 아저씨 같은 느낌의 선생이었다.

특히 독이 바짝 오른 복어같이 부풀어 오른 큰 사이즈의 배가 마음에 들었다.

편안함도 잠시 계단을 오르며 다시 한번 걱정과 근심이 쌓여가기 시작했다.

내가 정말 그토록 아꼈던 그녀를 무시할 수 있을까?

계단을 올라가는 것이 평소보다 더욱 무겁게 느껴진다. 손으로 무릎을 짚으면서 올라가야 할 정도였다.

"그때 내가 그 자식을 확…."

"어제 옆 학교 남자애들이…."

교실은 겨우 2층밖에 안 되던 높이였기에 자신이 좋아하는 사람에 관한 얘기, 신나게 술을 마셨다는 얘기, 남자친구와 싸웠다는 얘기 등.

계단을 밟을수록 사생활이 가득한 대화들이 하나둘씩 들려왔다.

교실의 문을 열기가 두려워졌다.

겨우 손잡이를 옆으로 밀기만 하면 그만이었지만, 탈진해 버린 듯한 나의 몸에서는 그런 행위 자체를 거부하고 있었다.

차라리 문을 열자마자 다른 평행세계로 이어졌으면 좋겠다는 생각이 든다.

평행세계에서의 우리는 과연 좋은 사이일까, 아니면 이미 끝나버린 사이일까.

어릴 때나 믿던 평행세계에 지칠 대로 지친 몸뚱아리를 방치해두고 싶어진다.

"이정호, 안 들어가고 거기서 뭐 하냐."

아침 조회를 위해 한 손에는 커피를 들고 천천히 걸어오는 담임의 실루엣이 보였다.

"지금 들어가려고요."

아직 마음의 준비도 안 했는데 담임의 갑작스러운 등장에 나는 결국 문을 열었다.

"..."

어수선했던 교실은 나의 등장 하나만으로 어색하고 긴 정적이 흘렀다.

아마 담임이 온 줄 안 모양이었다.

"그래서 내가 어떻게 했냐면..."

"거짓말 치지 마, 죽을래?"

"오늘 학교 끝나고 노래방 갈까?"

토끼처럼 놀란 눈으로 나를 바라보던 녀석들은 금세 상황 파악이 끝난 듯 어수선해지기 시작했다.

그 사이, 조용히 앉아있는 도아의 모습이 눈에 들어왔다.

품위 있게 놓여있는 그녀의 다리, 마른 것 같지만 탄탄하게 잡혀있는 몸의 라인, 머리를 묶고 있는 가느다란 팔.

어제까지만 해도 보이지 않던 것들이 거짓말처럼 나를 세게 끌어당겼다.

이런 그녀의 모습은 어제 했던 다짐을 금세 엎어버릴 정도였다. 다만 이런 끌림은 나만 느끼고 있던 걸까.

어제까지만 해도 인기가 넘쳤던 그녀의 주위에는 왜인지 단 한 사람도 서성거리고 있지 않았다.

아마 신명 나게 남자무리를 마다하던 아찔한 행동들이 우리 학교 고귀하신 여왕벌들의 심기를 거슬리게 했나 보다.

역시 열등감이란 감정은 유치함의 극치였다.

"왜 이렇게 늦게 와, 기다렸잖아."

도아는 땀을 흘리며 헐떡거리고 있는 나를 향해 손을 흔들었다.

미칠 것만 같았다. 내가 진심으로 좋아하던 그 미소로 인사를 한다니, 이건 거의 위법 수준 아닌가.

나는 꾸역꾸역 움찔거리는 손을 통제하며 도아를 등 돌린 채 자리에 앉았다.

땀으로 흥건하게 적셔진 손을 그녀에게 들키지 않기 위해 수시로 바지에 물기를 닦아내었다.

"정호야?"

그녀가 다시 한번 나의 이름을 불렀지만, 이 역시 답하지 않았다.

"…기억났나 보구나."

이런 상황이 올 것을 각오했다는 듯한 말투였다. 성대의 심한 떨림이 느껴진다.

"다행이야, 그래도 날 기억해 줘서…."

당장이라도 평소처럼 화목한 아침 인사를 주고받고 싶어진다.

그토록 아끼고 좋아했던 그녀가 바로 내 눈앞에 있는데, 영영 못 만날 줄만 알았던 그녀가 나의 옆자리에 앉아있는데.

나는 그 어떤 행동도 할 수가 없다…. 그녀를

용서할 마음이 생기지 않는다.

도아를 떠올리기만 하면 집 앞에서 비를 맞던 날의 엄청난 오한과 기억들이 엄습해 온다.

나는 그녀가 두려워졌다.

"종례 끝, 다들 조심히 가라."

우리는 학교가 끝날 때까지 단 한마디의 대화조차 나누지 않았다.

아침 조회 이후 몇 번 더 말이 걸려 오긴 했지만, 그게 끝이었다.

그녀가 쉬는 시간마다 나의 뒤를 밟고 있길래 점심시간을 넘어가던 순간부터는 돌아다니지 않고 의자에 앉아있기만 하였다.

처음이 어렵지 두 번째부터는 쉽다는 말이 있듯, 무겁던 마음은 생각보다 빠르게 가벼워져 갔다.

그녀가 하는 말들은 전부 한귀로 흘려보내려고 노력했다.

괜히 말 하나하나에 의미 부여하다가 감정 소모만 심해질 수도 있을 것 같았기 때문이다.

이렇듯 나 나름대로 다양한 방법을 고수하며 그녀에 대한 대비를 하고 있었지만, 그녀에게 있어 최고의 방법은 오로지 직진뿐인 것 같았다.

오늘도 방과후를 뒤로 한 채 가방의 지퍼를 잠그고선 집을 갈 채비를 하고 있었다.

"저기 정호야!"

꽤나 격양된 목소리였다.

그녀는 바로 옆에 있었지만, 쓸데없이 높은 억양으로 나를 불렀다.

자기도 높낮이 조절이 되지 않았다는 것을 깨달았는지, 주변을 두리번거리며 부끄러운 듯 입술을 잘근잘근 물어뜯었다.

"오랜만에 같이 걸어갈까…? 아, 어제 걸어갔으니까, 오랜만은 아닌가…."

괜히 집이 같은 방향이어서….

나는 어째서인지 의기소침해 있는 그녀의 태도가 마음에 들지 않았다.

마음 깊이 우러나오는 한숨을 그대로 내뱉으며 가방을 걸쳤다. 질문에 대한 대답은 지금 한숨으로 충분할 것이라 생각한다.

어제까지만 해도 좋다고 느껴졌던 것들이 하루아침에 취약처럼 느껴진다.

이렇게 타들어 가듯 끝내버리는 게 맞는 걸까. 이런 방식은 나와는 어울리지 않는 것 같다. 별로 깔끔한 맛이 아니다.

시원한 바람에 기분이 좋아지는 가을을 맞이했다. 낙엽들이 도로 사이드에 잔뜩 모여져 있으며, 거리를 거니는 사람들의 착장은 서로 약속이라도 한 듯 가디건을 입고 있었다.

춥다고 하기에는 애매하지만, 안 춥다고 하기에도 애매한 날씨.

이렇게 보니 가디건의 선택이 가장 무난하고 효율적으로도 옳아 보였다.

나는 여전히 그녀와 거리를 두고 사는 중이다.

이제는 되려 내가 지칠 대로 지쳐버렸다.

그녀는 무시를 하던 나에게 다가와 다짐을 하나 했었다.

아마 교실에 들어올 때 그녀와 마주치는 것을 피하기 위해서 학교를 일찍 가기로 결정했던 날이었을 것이다.

평소 등교 시간보다 30분 일찍 도착한 교실엔 다른 사람도 아닌, 도아가 제일 먼저 교실에 와 있었다.

"예상을 벗어나지 않는구나."

그녀는 나를 보자마자 어색한 미소를 지었다.

"내가 아는 소심한 이정호라면 이럴 것 같았어. 제대로 적중했네."

우리 사이에 숨 막히던 공기를 짓누른 채, 자기만의 할 말을 계속 이어가기 시작했다.

"이대로 정호 널 포기하지 않을 거야. 언제라도 얘기할 마음이 생긴다면 대답해 줘."

"기다릴게."

나처럼 누구 한 명이 포기할 때까지 물러설 생각 따윈 없다는 뜻이었다.

1주일이 지나도, 2주일이 지나도, 한 달이 지나도, 요새 같은 그녀는 꿈쩍하지 않고 나에게 말을 붙여왔다.

그저 혼란스러울 따름이었다.

보통 사람이라면 포기하고도 남았을 긴 시간이었음에도 불구하고, 도아는 단 한 번도 흔들리는 모습을 보이지 않았다.

그렇게 포기할 기미가 보이지 않던 그녀는 결국 나를 약해질 대로 약해지게 만들어버렸다.

어쩌면 나는 여태껏 도아의 진심을 확인하고 싶어 했던 유치한 녀석이었을지도 모르겠다는 생각이 든다.

사실 처음부터 알고 있었다.

내가 자신을 좋아하는 만큼 그녀 역시 나에게 진심이라는 것을.

이 정도면 슬슬 대화를 나누어봐도 괜찮지 않을까. 마음이 크게 요동치기 시작한다.

이런 내 마음에 한창 혼란스러워하던 날이었다.

"정호야, 나랑 잠깐 얘기 좀 해줘."

책상에 엎드려 끙끙대던 나에겐 타이밍 좋게 그녀로부터 말이 걸려 왔다.

어려서부터 혼자 결단을 내리지 못하고 있을 때면 어김없이 그녀가 찾아온다.

이번에도 예외는 없었다.

몇 달이 지나도 흔들림 없는 말투, 하지만 그런 확고함 사이 티 안 나게 숨어있는 두려움의 향기.

이제는 내 패배를 인정하고, 더 이상 그녀를 마다하지 않기로 결정했다.

"..."

나는 부스스한 머리를 대충 털어내며 그녀의 얼굴을 찬찬히 바라보았다.

정면으로 맞닥뜨린 얼굴에서는 낯설게 느껴질 정도로 무뚝뚝한 표정이 나를 내려다보고 있었다.

살짝 당황스러웠지만 내색하진 않았다.

"…알았어. 빨리 얘기해."

몇 달 만에 내지른 목소리였다.

내 성대에서 나온 목소리였음에도 불구하고 상당히 어색하게만 느껴졌다.

"……고마워."

빗방울 떨어지는 소리.

그녀의 눈물은 경사로를 타듯 천천히 흘러 내려가 교실 바닥과 부딪히며 간결한 소리를 내고 있었다.

이 지경까지 온 건 모두 내가 자초한 일이었기에 도아를 달래줄 수는 없는 노릇이었다.

"그래서 무슨 얘긴데?"

그녀는 감정을 추스르기 어려운 듯 연거푸 심호흡만을 반복하였다.

숨을 내뱉는 와중에도 불규칙적인 공기의 흐름 덕에 도아가 떨고 있다는 것쯤은 금세 알아차릴 수 있었다.

창문 사이로는 쌀쌀한 바람이 들어온다. 서글펐던 울음소리가 바람 소리에 묻혀져 갔다.

"…정호야."

바람 소리에 그녀의 목소리도 함께 묻혔으면 좋았으련만

"나 곧 죽어."

제3화

"죽는다고?"

그녀가 고개를 끄덕였다.

뭐지. 지금 나랑 장난하자는 건가?

우리는 수 없이 변화를 이루었던 계절들을 지나 풍파 같았던 시간과 함께 이 상황까지 오게 되었다.

이런 속 쓰린 말이나 들으려고 긴 시간을 버텨온 게 아니란 말이다.

적어도 진심 어린 사과, 아니. 진부한 변명의 말이라도 듣고 싶었다.

그런데 죽는다니.

"너 그 말 진심이야?"

"…응."

심장이 철렁 내려앉는 게 느껴졌다. 맥박이 점

점 빨라지며 원인을 알 수 없는 복통이 쏟아진다.

내 몸 안에 미꾸라지가 들어와선 장기를 휘젓는 것 같은 느낌이 든다.

순간 그녀라는 존재 자체에 환멸감이 밀려오기 시작했다.

어렸을 때부터 단지 혼나는 것을 피하고자 수단으로 이용했던 신께서는 더 이상 나의 편을 서주지 않기로 했나 보다.

나는 정말 행복해질 수 없는 몸으로 태어난 걸까. 조금이나마 빛이 보이려 하면 누군가 나를 다시 칙칙하고 습기 찬 어둠으로 끌고 간다.

엄마, 아빠의 죽음에 이어서 도아의 죽음이라…, 더할 나위 없이 깔끔한 세드 엔딩이다.

나의 낙심한 표정을 본 그녀는 고개를 푹 숙였다.

풀벌레의 날갯짓 소리가 들릴 만큼, 빈 교실은 정적으로 가득 찼다.

"어릴 때부터 별로 좋지 않은 병을 가지고 있었어."

내가 먼저 얘기를 꺼내지 않을 거라는 것을 눈치챈 그녀가 입을 열었다.

"…병?"

단 한 글자가 나의 가슴을 후벼 팠다.

부모님이 사라졌을 때처럼 머리가 새하얘진다.

병을 앓고 지내던 시한부 여자와 뒤늦게 그 사실을 알게 되는 남자.

평소에 뻔하다며 혀를 찼던 로맨스 영화 같은 상황이었다.

이런 말도 안 되는 일이 실제로 일어날 수가 있으려나, 라며 의구심을 품던 나의 멍청한 모습들이 흐릿하게 떠오른다.

그 알량했던 의구심이 점점 커져 실담의 형태로 자리를 잡아갔다.

"진행성근이영양증. 지금 내가 앓고 있는 병 이름이야."

진행성근이영양증. 처음 들어보는 이름이었다.

"그게 정확히 어떤 병인데…?"

"이름대로 시간이 지나면서 점점 근육이 굳어가는 병. 근데 난 뇌신경 쪽부터 굳는 특이 케이스라 하더라."

그녀가 어색한 웃음을 지었다.

충격적인 말들 하나하나가 곳곳의 신경을 두드렸다.

그런 희소병을 앓고 있는 것도 모자라서 이상한 방향으로 병이 진행된다니….

도무지 납득도, 이해도 할 수가 없었다

지금까지 시한부 인생을 살아왔던 그녀에게 말로 표현할 수 없을 정도의 감정들이 몰려오기 시작했다.

못되게 굴었던 지난날의 행동들이 죽을 만큼 미워진다.

날마다 죽을 고비를 넘기면서 나 같은 머저리 자식의 수발까지 들었던 것을 생각하니 정신이 까마득해졌다.

나는 더 이상 그녀에게 역정, 동정, 위로, 그 어떠한 것도 내세울 자격이 없다.

몇 달간 갑처럼 텃세나 부리던 내 자신이 죽을 만큼 미워진다.

"난 그런 줄도 모르고……."

차마 더는 말을 이어갈 수가 없었다.

입술이 파르르 떨려온다.

하고 싶은 말이 수도 없이 많았지만, 머릿속에서는 간략하게 정리가 되지 않았다.

자멸감만이 나의 마음을 가득 채워갔다.

"그러면 졸업식 날 말도 없이 가버린 것도 병

이랑 관련된 거야?"

"…응, 미안해."

암울했던 졸업식의 배후는 역시 병과 연관이 되어 있었다.

서서히 나의 머리 속에서는 잘못 맞추었던 퍼즐들이 재조합되기 시작했다.

그녀를 떠올렸을 때와는 또 다른 허무함이었다.

혼자 온갖 망상을 하며 그녀를 역겨운 원망의 시선으로 쳐다보던 내가 한심해진다.

각자만의 사정이 있을 거라는 생각조차도 하지 않은 채, 나는 남보다 자신의 감정만이 앞서는 불결하고 이기적인 놈이었다.

내가 그토록 싫어하던 이기주의자가 정작 나 자신이었다는 사실을 크게 간과하고 있었다.

"다 내 잘못이야…. 내가 진작에 얘기했더라면, 한시라도 빨리 정호 너를 만났더라면……."

잠시 메말라 있던 그녀의 눈물이 뜨겁게 새어 나오기 시작했다.

나 역시 덩달아 눈물이 나올 것 같았지만, 있는 힘껏 참아내었다.

여기서 나까지 울어버리면 둘 다 걷잡을 수 없

는 감정만이 가득한 상태가 될 테니까.
무슨 말부터 꺼내야 할지 모르겠다.
내가 완벽하게 맞춘 줄 알았던 퍼즐의 모습은 금방이라도 위태롭게 무너지려 하고 있었다.
"제발 나한테 미안해하지 마. 네가 그럴수록 너무…."
목구멍부터 올라오는 자책감 때문일까. 더는 말을 이어갈 수 없었다.
도아가 고개를 좌우로 흔들며 말했다.
"아니야, 그래도 미안해…."
"그만 미안하다고 해, 제발."
그녀가 사과를 할 때마다 가슴이 찢어지듯 쓰라려 온다.
위선을 떠는 것이 아닌, 정말로 그녀만큼은 나에게 미안한 감정을 가지지 않았으면 좋겠다고 생각했다.
"도아야, 그러면 나랑 약속 하나 할래?"
그때, 사과하는 그녀를 막을 수 있는 좋은 방법이 떠올랐다.
보이지도 않는 주제에 이름만으로 책임감과 무게감이 생기는 신비한 단어.
나는 그 신비한 단어를 사용하는 게 좋겠다고

느껴졌다.

"나 따라 하는 거야?"

"약속이란 게 꽤 좋더라고."

그녀가 대화를 시작하고 처음으로 따듯한 미소를 지었다.

오랜만에 다가오는 부드러운 미소가 심장을 압박해 온다.

"일단 들어볼게."

도아는 흥미롭다는 듯 나의 얼굴로 시선을 집중하였다.

"이제부터 서로 미안하다는 말 하지 않기. 어때?"

"미안하다고 하지 않기? 만약에 너무 미안해서 사과를 꼭 해야 하는 상황이면?"

"음, 그러면……."

이후 약속을 어길시 페널티에 대해선 생각해보지 않아 말문이 턱 막혔다.

"아 몰라, 그건 나중에 생각하자. 적어도 오늘만큼은 미안하다고 그만하기."

"대책 없기는, 알겠어."

그렇게 나는 그녀와 페널티 하나 없는 허접한 약속을 맺었다.

이 약속만큼은 오래 지속되기를 바랄 따름이었다.

"정호야, 나 언제 죽는지는 안 궁금해?"

물론 궁금했다.

나는 시한부인 사람에게 예정일 같은 것은 꽤 예민한 질문이 될 수도 있을 것 같았기에 굳이 물어보지는 않았었다.

뭐. 그녀가 먼저 얘기를 꺼냈으니, 마침 잘 됐다고 생각했다.

"…궁금해. 너만 괜찮다면 알고 싶어."

도아는 엉킨 머리카락을 귀 뒤로 쓸어 넘기며 대답했다.

"정호 너랑 결혼하고 가정 꾸리는 것까진 여유로울 정도?"

이런 상황에서도 장난스럽게 대꾸하는 그녀를 보니 뭔가 옛날에 맡았던 향기가 콧등을 타고 지나가는 느낌이었다.

"뭐야 그게, 진짜로?"

"나 이제는 거짓말 안 칠 거야."

기쁜 마음이 벅차올라 왔다.

그녀가 허세를 부리는 것인지는 알 수 없었지만, 적어도 시간이 그리 적지 않다는 것 정도는 알 수 있었다.

금방이라도 식을 줄 알았던 그녀와의 관계가 아직 많이 남아있다니.

조금 더 추억을 만들 수 있어서, 함께 할 수 있는 시간이 더욱 늘어서, 내 진실된 마음을 전할 수 있게 되어서.

정말 다행이라 생각했다.

"병원에서 주는 약만 꼬박꼬박 챙겨 먹으면 당분간은 크게 문제없을 거래."

"다행이다, 정말로 다행이야…."

몇 달간 안간힘을 다해서 쥐고 있었던 긴장감이 스르륵 풀렸다.

그와 동시에 풀려버린 긴장감은 자연스레 마주보고 있던 도아의 얼굴로 향하였다.

"그래서 말인데, 내가 죽기 전에 하고 싶은 일들을 어렸을 때부터 적어봤거든."

"한번 들어볼래…?"

죽기 전에 하고 싶은 일이라는 말이 뼈아프게 다가왔지만, 슬픈 내색은 보이지 않았다.

나보다 그녀가 몇 배는 더 힘들 테니까.

"당연하지, 얘기해줘."

"좀 많긴 한데…."

그녀는 앞으로의 계획들을 차근차근 읊어주기 시작했다.

"같이 바다도 가보고 싶고, 잠옷 같은 걸 맞춰서 파자마도 하고 싶어."

"음, 그리고…."

신난 듯 계획을 말하는 그녀의 모습은 먼지 한 톨 없이 순수해 보였다.

"아, 마지막으로 이 버킷리스트는 전부 정호 네가 같이 있어야 줘야 돼."

"어울려 줄 거지….?"

진성 수줍은 듯한 말투는 나의 마음을 녹아내리게 했다.

저런 모습을 보고도 멀쩡한 남자는 세계에 단 한 명도 없을 것이라 나는 시원하게 장담할 수 있다.

"오히려 내가 어울리게 해달라고 부탁해야 하는 거 아니야?"

"난 무조건 좋아."

가볍게 미소를 지으며 대답했다.

버킷리스트라. 그녀와 함께 할 수만 있다면 뭐든지 오케이였다.

단풍잎이 무수히 떨어지던 어느 가을날.

나는 도아의 죽기 전 버킷리스트에 함께 참여하게 되었고, 모질게 굴었던 나를 계획에 넣어줘서 그저 고맙기만 할 따름이었다.

이제는 내가 그동안의 빚을 갚아야 할 차례인 것 같다.

⊳ ⊳ ⊳

집 밖, 거세게 몰아치는 바람 소리에 눈을 비비며 잠에서 깬다.

창문마저 흔들리게 만드는 강풍은 마치 겨울에 잡아먹히는 가을의 몸부림처럼 느껴졌다.

오늘은 나의 인생에서 가장 좋아하는 것 중 단연코 높은 순위에 자리를 잡고 있는 주말이다.

5일이라는 시간을 학교에 갇혀서 보낸 후 2일이라는 짧은 시간이 오기만 하면 탈옥이라도 한 듯한 짜릿한 쾌감이 다가온다.

나는 보통 48시간 전부를 방에 박혀서 히키코

모리처럼 보낸다.

아침 일찍 등교를 하기 위한 처절한 몸부림 따윈 매주 이틀간 가볍게 무시해 버린다.

시끄럽게 비명을 질러대는 알람에 의해 강압적으로 일어나는 것이 아닌, 나의 눈이 자연스레 떠질 때의 기분은 내가 알고 있는 표현들로는 다 담을 수 없을 것이다.

그러나 오늘 아침은 예외였다.

도아를 집에 데려왔던 날, 나는 텅 비어있는 냉장고의 상태를 본 후 이대로는 안 되겠다는 생각이 들었다.

콜라 옆에 콜라, 그 옆에는 또 콜라. 깊숙한 곳 역시 콜라.

순간 내가 콜라 협찬을 받은 유명인이라도 된 줄 알았다.

기껏 도아가 손을 거들어서 우리 집을 사람 냄새 나는 집으로 바꿔줬는데, 나도 조금은 바뀔 필요가 있다고 생각했다.

걸어서 3분 정도 걸리는 마트에서 매주 주말 아침마다 세일을 한다는 정보를 들었다.

물론 이런 실생활에 도움이 될 만한 정보는 나의 냉장고처럼 텅 빈 인맥으로는 알 수 없는 정

보였다.

하지만 그런 냉장고 속에서도 콜라만큼은 유일하게 자리를 지키고 있었다.

"정호야, 내가 엄마한테 들은 건데 너희 집 근처 마트 알지?"

"…응, 대충. 근데 그건 왜?"

"별건 아니고, 주말에 시간 비면 거기 가서 장이라도 보라고."

"주말마다 세일을 많이 한대. 이 기회에 인스턴트 좀 그만 먹고 요리를 해서 건강하게 사는 거지!"

도아는 사회생활이 미숙한 나에게 귀와 같은 존재가 되어주었다.

관심도 가지지 않고 살던 주변 환경은 그녀의 입을 거치자 꽤 매력적으로 보이기 시작했다.

뭐. 이왕 좋은 정보가 들어왔으니 한 번쯤은 정보를 활용해 보는 것도 좋지 않을까.

"다녀오겠습니다."

오늘도 어김없이 고독함만이 가득한 집에 혼잣말을 한다.

아무도 없는 집에 인사란 아무 소용이 없는 멍청한 짓이라는 것을 누구보다 잘 알지만, 뭐랄까.

엄마와 아빠가 가까이서 나를 지켜봐 주고 있을 것이라는 느낌이 팍팍 든다.

현관문을 열자, 일어난 지 한참이 지났음에도 바람은 여전히 매섭게 불고 있었다.

드문드문 마트에 가면서 보이는 주민들이 모두 두꺼운 조끼를 하나씩 껴입고 있는 게 눈에 들어왔다.

그들이 입고 있는 조끼는 귀찮음에 찌들어 대충 걸친 나의 바람막이와는 차원이 다른 풍만함이었다.

코안 쪽에선 계속 콧물이 흐르려는 게 느껴졌고, 본능적으로 추위에 몸이 움츠려졌다.

한시라도 빨리 마트로 들어가고 싶어졌다.

중년의 아줌마, 노부부 등 대체로 연령대가 높은 사람들이 마트 내부를 가뜩 채우고 있었다.

초등학교 때 이후로 처음 오게 된 마트는 여전히 낡은 간판과 구린 인테리어 그대로였다.

부모님과 손잡고 오던 날의 푸릇푸릇했던 냄새가 여전히 나는 것 같았다.

"대박. 정호야 왔네?"

그 순간, 나의 뒤에서 익숙한 목소리가 들려왔

다. 듣자마자 가슴이 간질거리며 강단이 느껴지는 목소리.

나를 이곳까지 이끌어준 장본인의 목소리였다.

"…뭐, 뭐야. 여긴 왜 왔어?"

갑작스러운 그녀의 등장에 어버버 말을 더듬어버렸다.

"너 너무 못 볼 거 본 것처럼 화들짝 놀란다? 그냥 엄마 심부름으로 왔지."

도아의 입술이 미세하게 삐죽거렸다.

무심한 듯 묶은 포니테일 머리와 조금은 크게 느껴지는 회색 후드티.

아침이라 전혀 꾸민 것 같지 않았음에도 어김없이 아름다워 보였다.

사복 차림의 도아를 보다니. 조금은 운이 좋다고 생각했다.

"이런 곳에서 정호 널 볼 줄이야. 이거 완전 인연인걸~"

골탕 먹이려는 말투.

입술이 삐죽거렸던 것도 잠시, 금세 나를 놀리려는 장난기 가득한 김도아로 돌아와 있었다.

나도 뭔가 반격을 하고 싶어졌다.

"그러게. 이것도 인연인데 같이 장 볼까?"
"이젠 내 말에 부끄러워하지도 않네. 재미없어 이정호."
내 반응에 빈정거리는 그녀는 제법 귀엽게 느껴졌다.
조금, 딱 조금만 더 장난치고 싶다는 생각이 들었다.
"왜, 난 우리가 정말 인연으로 만들어진 사이라고 생각했는데. 도아 넌 아닌가 보네."
"……아니거든."
"응? 잘 안 들리는데."
"나도 그렇게 생각한다고, 바보멍청아……."
"됐어, 빨리 따라오기나 해."
"…아, 으응."
뒤를 천천히 따라가자 분홍빛으로 바래진 그녀의 뽀얀 귀가 눈에 들어왔다.
정신이 아찔해졌다.
사람이 이렇게 매력이 넘칠 수가 있는 걸까.
이번에야말로 한 방 먹였다고 생각했지만, 되려 그녀에게 당하고 말았다.
나는 벌렁거리는 심장을 부여잡으며 그녀를 따라갔다.

마트 천장에는 육류, 간편, 음료 등 여러 가지 판때기가 줄에 매달려 있었다.
외관은 몇 년 전과 바뀐 것이 없었지만, 내부의 분위기는 사뭇 달라진 것 같았다.
뭔가 더 최신식으로 바뀐 느낌?
각종 진열대에는 '3분 만에 뚝딱', '누구나 쉽게'라는 광고성 문구들이 붙은 냉동 음식이 눈에 들어왔다.
"너 또 그런 것만 먹으려 하지."
인스턴트에 시선이 집중된 나를 보자 그녀가 꾸짖었다.
마치 간식만 먹으려는 걸 말리는 엄마와 아들이 된 느낌이었다.
"…나도 이제 요리해서 밥 먹을 거야."
"아, 맞다. 요리는 할 줄 알지?"
"음, 라면이랑 볶음밥 정도는 할 수 있을 것 같은데."
순간 내가 말하고 부끄러워졌다.
혼자 살면서 할 줄 아는 요리가 라면이랑 볶음밥이라니.
모르는 사람이 들으면 무조건 비웃을만한 이야기였다.

"그 정도면 괜찮지 않을까?"
그러나 그녀는 비웃음의 표정 대신, 진지하게 고민하는 표정이었다.
"이게 괜찮다고? 지금 나 놀리는 거지?"
"아니, 난 진심으로 말한 거야. 볶음밥이 종류가 얼마나 많은데."
"네가 알고 있는 레시피에서 살짝 재료만 바꿔도 여러 가지 볶음밥은 순식간일걸?"
볶음밥밖에 못 한다는 소리를 듣고 이렇게나 긍정적으로 말할 수 있는 사람이 과연 얼마나 될까.
나의 모질었던 행동들을 버틸 수 있었던 이유를 지금에서야 알 것만 같았다.
심지어 꽤 일리가 있는 그녀의 말에 나는 단번에 수긍을 하였다.
"정호는 장 보는 게 처음일 테니까 지금부터 내가 사라는 것만 바구니에 담아."
"볶음밥이랑 관련된 재료들로 사는 게 좋겠다."
"알겠습니다. 스승님."
그녀는 목을 큼큼거리며 먼저 길을 앞장섰다.
도아의 살림 실력은 보통이 아닌 모양이었다.
우리는 사러 왔던 물건들을 카트에 모조리 담

고, 계산까지 하는데 10분도 채 걸리지 않았다.
물건을 고를 때마다 이것을 왜 사야 하는지에 대해 설명해 주며 꼼꼼한 모습을 보여주었다.
일일이 재료를 골라주는 그녀의 모습은 영락없는 새색시의 모습처럼 느껴졌다.
도아와 내가 다른 사람의 눈에는 결혼한 신혼처럼 보였을 수도 있었겠다는 생각에 왠지 부끄러워진다.
"아침부터 너무 바쁘게 움직인 것 같네."
그녀가 기지개를 켜며 말했다.
"정말이지, 원래라면 꿈나라에 있을 시간일 텐데."
"그래도 의미 있는 시간이었다고 생각해."
"그렇긴 하지."
우린 서로 이번 장보기에 대해서 긍정적이었다.
사실 장을 봐서 좋았던 게 아니라, 같이 있었다는 이유만으로 기분이 들떴던 게 아닐까.
종잡을 수 없는 내 기분을 추측하기란 아직 어려웠다.
"…저기."
조금은 어색한 듯한 부름이었다.

"응? 이제 집 가려고?"

"아니, 그런 게 아니라…. 오늘 시간 있어?"

"하나도 없어. 너무 여유로워서 탈이지."

"오케이…."

그녀가 조그마한 주먹을 불끈 쥐며 나지막하게 무언가 중얼거렸다.

"그러면 오늘 나랑 데이트할래?"

"데이트…?"

순간 나는 데이트라는 말에 어린 아이처럼 설레기 시작했다.

이제부터 본격적인 시작이구나.

속으로는 그녀의 데이트 신청에 흥분되었지만, 나는 이것이 단순한 데이트가 아니라는 것을 잘 알고 있었다.

사실 그때 사건 이후로 마음이 제대로 정리되지 않은 것 같다.

그냥 현실감이 전혀 없다고 해야 하나.

버킷리스트에 있는 계획들을 다 이루어내면, 그녀가 금방이라도 내 앞에서 사라질 것 같은 기분이 종종 느껴진다.

"응, 데이트. 정호 너랑 나랑 단둘이!"

"별로야…?"

"아니 아니, 난 좋아. 도아 네가 가고 싶은 곳은 어디든 따라갈게."

"완전 사랑꾼 같은 멘트네. 음, 그러면 청춘의 상징인 바다나 가버릴까?"

"너무 즉흥적인데?"

바다라는 말에 아침까지만 해도 추워서 몸을 벌벌 떨던 내가 생각났다.

그런 그녀의 말을 듣는 시점에서는 금방이라도 한가을에 접어들 정도의 싸늘함이 공기를 감돌고 있었다.

"나는 상관없긴 하지만, 바다가 있는 지역은 많이 추울텐데, 괜찮겠어?"

"이 정도쯤이야. 나한테는 따듯한 드라이기 바람 수준이지."

"허세는."

나는 그녀의 장난기 가득한 농담이 마냥 가소롭게 느껴졌다.

빨리 집에 가서 장을 보며 샀던 재료들로 새로운 요리를 도전해 보려고 하던 참이었지만, 그녀의 데이트 신청이라면 모든 것을 마다하고 달려갈 수 있었다.

"그러면 빨리 준비하고 가자. 벌써 12시를 넘

어가려고 하네."

"응, 알겠어. 준비하고 전화할게."

그녀는 내가 흔쾌히 수락하자 기쁜 듯 입꼬리를 움찔거렸다.

"좀 이따 봐."

아무래도 움찔거리던 입꼬리를 감추지 못하겠는지, 별다른 작별 인사는 생략해 둔 채 먼저 뛰어가 버렸다.

나는 아직까지도 그녀가 자신의 죽기 전 버킷리스트에 나 같은 놈을 끼워줘서 정말 고맙고 미안하다고 생각한다.

날마다 마음고생했을 그녀가 떠오른다.

그녀를 위해서라면.

나 하나 때문에 힘들었을 그녀를 위해서라면, 내 몸이 닳더라도 이 찝찝한 버킷리스트를 채워나갈 것이다.

오늘은 그 첫 번째 일정인 만큼 최선을 다해 현재를 즐길 것이다.

그녀가 죽더라도 만족스러운 삶이었다고 여길 수 있게.

내가 죽더라도 후회 없는 삶이었다고 생각할 수 있게.

장 보았던 것들을 정리하는 사이, 배게 옆에 던져놓았던 휴대폰에서 얕은 진동이 느껴졌다.

ㄴ

준비 끝났다!
빨리 나오도록.

그녀가 보낸 문자였다.
마트에서 헤어진 지 삼십 분 정도밖에 지나지 않은 것 같은데 벌써 준비가 끝난 모양이었다.
하여튼 들떠 가지고는.
막 준비를 마친 것 같은 다급한 말투가 디지털 기기를 넘어서까지 전달되는 것 같았다.

ㄴ

본부대로.

한껏 오른 도아의 흥을 깨지 않기 위해 적당히 대답해 주었다.
오후가 되니 가을이라기엔 빨갛게 농익은 햇빛이 나의 눈을 톡톡 쏘았다.

빨리 도아를 만나러 가라며 재촉하는 듯한 따가움이었다.

여자와의 첫 데이트. 상대는 처음으로 마음을 내주었던 사람.

이런 말랑한 의미 부여들은 은근히 나의 기대감을 증폭시켜 갔다.

오늘만큼은 한번 꾸며보자.

나는 방 안에 있는 패션 잡지를 집어 들고, 한 페이지씩 차례차례 넘기기 시작했다.

잡지 속에는 도아만큼이나 피부가 하얀 서양 남자들이 멋진 셔츠를 빼입고 있었다.

모델답게 훤칠한 비율, 오뚝한 코, 뚜렷한 눈.

패션에 대해 조금이나마 정보를 얻어보려 했지만 아무래도 나와는 거리가 먼 느낌이었다.

호박에 줄 긋는다고 수박이 되지는 않는다는 말처럼 말이다.

조금 좌절감에 빠진 나는 안 봐도 뻔한 옷장을 열어보았다.

통 넓은 반팔 티셔츠와 집에서 가볍게 입는 긴 바지만이 눈에 들어왔다.

아무리 옷에 관심이 없는 나라 해도 이걸 그대로 입고 나가기엔 별로일 것 같다는 생각이 든다.

그때 다시 한번 조용한 진동이 느껴졌다.

ㄴ

숙녀를 기다리게 하다니, 매너 꽝이네.
10분 넘게 기다리는 중.

이번엔 한참을 기다려 지친 듯한 말투가 뿌연 화면에 비추었다.

첫 데이트만큼은 멋지게 입고 나가서 그녀를 놀라게 해주고 싶었는데….

옷을 한 벌도 사놓지 않던 지난날의 나 자신이 미워진다.

어쩔 수 없이 살짝 구김이 있는 바지와 티셔츠를 꾸역꾸역 입기 시작했다.

거울에 비친 나는 누가 봐도 매력 따윈 없게 생긴 우중충한 고등학생의 모습이었다.

허리를 한참 넘어서 축 내려져 있는 반팔 티는 덩달아 나의 기분을 축 내려가게 했다.

차라리 셔츠를 바지 안에 넣어버리자.

바지 안에 알맞게 맞춰 들어간 셔츠와 긴 바지

의 조합은 의외로 잘 어울렸다.
인터넷에서 매번 뜨던 유명인들의 패션을 연상케 하는 조합이었다.
다시 본 거울 속의 나는 이제서야 제법 풋풋한 느낌이 드는 고등학생의 모습이 되어있었다.
"다녀오겠습니다."
그렇게 나를 기다리며 서 있을 그녀를 향해 서둘러 걸음을 뗐다.
어김없이 혼자 하는 인사지만 싫증이 나지 않는다.
달콤한 냄새.
집을 나서자 항상 나의 가슴을 저리게 만들던 달콤한 향기가 느껴졌다.
그녀의 몸에서 직접적으로 나거나 그러는 향기는 아니었다. 샴푸도, 도아의 살결도 아닌, 정체불명의 냄새.
김도아라는 사람만이 가질 수 있는 냄새였다.
이 냄새는 항상 나의 기분을 붕 뜨게 만들어주지만, 왠지 달콤한 향기가 점점 약해지는 것만 같다.
아니면 내 후각이 약해지고 있는 걸까.
"이정호 왜 이렇게 늦게 나와! 기다리다가 그

대로 죽을 뻔했어."

그 순간, 문 바로 옆에서 그녀가 갑작스럽게 튀어나왔다.

"…어? 뭐, 뭐야."

예상치 못한 곳에서 튀어나와 심장이 덜컥 내려앉았다.

도아는 자기 피부만큼이나 하얗고, 나비 리본이 달린 인상적인 원피스 입고 있었다.

또한 얼굴보다 훨씬 크면서도 인공적인 느낌이 들지 않는 깔끔한 밀짚모자가 눈에 들어왔다.

매번 잡지에서만 보던 우아한 원피스의 자태를 그녀에게서 발견할 줄은 전혀 상상하지 못했다.

제 주인을 찾은 듯한 안정적인 착장, 제법 휴양의 느낌이 나는 까슬한 밀짚모자까지.

지금껏 봐왔던 도아의 모습 중에서 가장 개성 있고 특별해 보였다.

다른 여자와는 비교도 할 수 없을 만큼 귀티 나는 모습에 넋을 놓을 것만 같았다.

"뚝뚝, 괜찮나요."

"…어, 응."

"놀라서 그래? 방금 놀란 거지? 놀란 거구나?!"

"이런 거엔 꿈쩍도 안 할 거라 생각했는데, 뜻

밖의 수확이네."

도아는 저항 없이 움찔거린 나를 보고서는 이때다 싶어 하이에나처럼 달려들었다.

얼굴이 화끈거리는 나를 보며 히죽거리는 그녀를 보자니 괜히 더 부끄러워져 버렸다.

"너처럼 갑자기 나오면 안 놀라는 사람이 어딨어."

"이건 어쩔 수 없었어, 무효야."

볼이 뜨겁게 달궈진다.

좋아하는 사람한테 부끄러운 모습을 보이고 싶지 않았는데.

쥐구멍에라도 들어가고 싶어졌다.

"부끄러워하는 것도 새로운 매력이군."

"난 평소같이 무뚝뚝한 표정보다 이런 인간미 넘치는 표정이 좋더라."

"됐거든, 얼른 가자."

"…진심인데."

평소 같은 표정보다는 인간미 넘치는 표정이 좋다라….

아무래도 나에게 조금 더 다양한 감정을 표출해보 라는 뜻으로 말한 것 같았다.

내가 그렇게나 일관적인 표정만을 가지고 살았

던 걸까.

지금까지 당연하게 해왔던 행동들이 다른 사람에게는 당연한 것이 아니란 걸 느끼자, 이정호라는 인간이 서서히 사라져가는 기분이었다.

"한 시까지 역으로 가야 돼. 우리가 가려 하는 바다까지는 내려서 사십 분 정도 걸린대."

"내리자마자 그 지역에서 완전 유명한 파스타 가게로 갈 거야. 대박 맛있겠지, 그치?"

"나야 뭐든 좋지. 벌써 그 많은 걸 다 알아본 거야?"

"기다리는 동안 할 거 없어서 해버렸지."

"내가 해도 괜찮은데…."

"됐거든요, 내 멋대로 무작정 잡아버린 약속이니까 이 정도는 조사해야지."

그녀는 그 짧은 시간에 꽤 많은 걸 조사해 놓았다.

역시 여고생의 인터넷 서칭 실력은 무시할 수 없다는 생각이 든다.

"멀미약이라도 하나 사갈까?"

"누가 전철에서 멀미를 하냐, 바보."

나도 당연히 아는 사실이지만, 예의상 물어봤다가 괜히 바보 취급을 당하고 말았다.

그녀와 함께 울퉁불퉁한 아스팔트 위에서 성큼성큼 걸음을 맞추니, 거리엔 우리 둘만이 있다는 착각이 들게 된다.

도아를 잊어버리기 위해 고생했던 지난날의 일들이 머리에서 지워지는 기분이었다.

저녁에 일몰을 볼 때처럼 몽롱해지는 기분도 덩달아 느껴졌다.

이번 여행을 통해 모든 일이 원만해질 것만 같다. 나의 누적된 피로, 그녀의 지속되는 병, 우리를 기다려주지 않는 시계 초침.

조금이라도, 아주 조금만이라도 이 위태로운 파도가 잔잔해지길.

멀리서 휴대폰 진동과는 차원이 다른 진동이 다리를 타고 고스란히 올라왔다.

태어나서 한 번밖에 타보지 않았던 전철의 어색한 웅장함은 몸 곳곳에 진득한 땀이 줄줄 날 정도였다.

심한 소음이 점점 커짐과 동시에 기차는 미세한 기름 냄새를 뿜으며 우리 앞에 멈춰 섰다.

남자답게 그녀를 배정된 자리까지 안내하고 싶

었지만, 한참 전부터 굳어버린 나의 몸은 말을 잘 듣지 않았다.

"문 열렸다. 어디가 예약했던 자리더라…."

"뭐 하고 있어, 빨리 안 따라오고."

내가 이런 걸로 고민하고 있다는 걸 알면 보나마나 또 장난기가 발동하겠지.

그냥 군말 없이 그녀를 따라가야겠다고 생각했다.

"A 열에 23… A 열에 23…. 아 여깄다."

한참을 두리번거리며 자리를 찾은 그녀는 뿌듯하다는 듯 손뼉을 쳤다.

"정호 네가 창가 쪽에 앉을래…?"

그녀는 말을 하면서도 미어캣처럼 창가 쪽 자리를 힐끔힐끔 쳐다보았다.

아마 창가 쪽 자리를 앉고 싶어 하는 것이라 생각했다.

창가 쪽 자리는 왠지 안락한 느낌도 들고 바로 바깥 경치를 볼 수 있으니까 확실히 좋을 것 같았다.

기분이 참 표정이랑 말투로 잘 드러나네.

눈치가 아무리 없는 사람이어도 저 몸짓들만 보면 뭘 원하는지 알 수 있을 것이다.

"그러면 그럴까?"

"어? 아, ……응."

순간 웃음이 터질 뻔했다.

그냥 수락해버리면 반응이 어떨까 해서 한번 장난을 쳐봤더니 이렇게나 반응이 재밌을 줄이야.

정말이지 창가 쪽을 양보 해주지 않으면 오히려 내가 마음이 불편할 수준이었다.

"농담이야, 나 창가 쪽 별로 안 좋아해. 너 앉아."

"진짜? 안 그래도 되는데, 어쩔 수 없네!"

"그러면 감사히 앉겠습니다~"

겨우 자리 하나로 기분이 그래프처럼 오르락내리락하는 사람은 도아가 최초일 것이다.

그래도 밝게 웃는 그녀를 보니 기분이 좋아진다.

그 후 우리의 뒤를 이어 차례차례 다양한 사람들이 자리에 앉기 시작했다.

기차는 정말 여러 종류의 사람들이 모이는 곳 같았다.

뒷자리는 백발의 할머니와 자식으로 보이는 중년의 여성.

옆자리는 어설프지만 다 알아들을 수 있을 정도의 한국어를 구사하는 다문화 가족.
앞자리는 쉴 새 없이 딸국질을 하며, 진한 알코올 냄새를 풍기는 키 작은 아저씨.
마지막으로는 시한부 여자와 지극히 평범한 남자.
다들 저마다의 사정을 들고 목적지를 향해 달려가고 있다.
누군가는 행복을 찾기 위해서, 다른 누군가는 이별을 하기 위해서, 또 다른 누군가는 자신의 목적을 이루기 위해서.
목적지를 향해 달려가는 이 구식 기차처럼, 우리의 관계도 점점 끝을 향해 달려갈 것이다.
창밖을 보며 아무 걱정 없이 좋아하고만 있는 그녀를 보니 슬쩍 울적해졌다.
이제는 정말 부정적인 생각을 별로 하고 싶지 않은데.
"정호야, 우리 심심한데 재밌는 얘기나 할까?"
잠깐의 침묵이 기차 소리로 가득 찰 때쯤, 그녀가 먼저 적막을 깼다.
"무슨 얘기?"
"너는 우주에 끝이 있다고 생각해?"

조금은 심오한 주제였다.

"…음, 아마 끝이 없을 것 같은데."

"아직 우주의 끝에 대해선 과학적으로 밝혀진 게 없으니, 끝은 없다고 봐야 맞지 않을까."

나의 대답에 그녀는 흥미롭다는 듯한 미소를 지었다.

우주의 끝에 관한 이야기는 내가 초등학교 때부터 가끔 나오던 주제였다.

우주에 끝이 있을까? 나는 제대로 증명되지 않은 것들은 웬만하면 믿지 않는 스타일이었다.

"근데 그건 왜? 요즘 우주에 흥미가 생겼나."

"…그냥, 나한테는 기회가 없는 걸까 싶어서."

어딘가 이상한 느낌이 들었다.

"그게 무슨 소리야?"

"정호 네가 과학적으로 밝혀지지 않았으니 끝이 없을 거라 했잖아."

"그러면 이 이상한 병도 끝이 정해져 있으면 안 되는 거 아닌가?"

훅 들어온 그녀의 푸념들이 내 머리를 강하게 내리쳤다.

"…"

"그런 우울한 표정 짓지 마. 농담이야, 농담~"

"기껏 해봐야 난 우주에 떠다니는 먼지 수준인데."

무거운 분위기를 풀기 위한 그녀의 멋쩍은 웃음소리가 멈춤과 동시에 주변 사람들의 말소리만이 공기를 떠돌아다녔다.

나는 어떠한 말도, 행동도 할 수 없었다.

단지 현실을 회피하기 위해 슬며시 눈을 질끈 감았다.

다시금 가슴이 먹먹해지기 시작한다.

얼마나 눈을 감고 있었을까, 창문 틈으로 짭짤한 내음이 나의 예민한 후각을 찔러댔다.

그녀가 의미심장한 말을 한 후 우리 둘 다 약속이라도 한 듯 잠을 청했던 것 같다.

창밖으로는 끝도 없이 펼쳐진 푸른 바다와 휴대폰 셔터를 반짝이며 소중한 시간을 보내는 여행객들이 보였다.

왜 그녀와 우주는 대립하는 걸까.

우주의 먼지 한 톨 크기조차 못 미치는 작은 생명체는 이렇게 고통스러워하고 있는데.

'이번 역은—. 이번 역은—.'

로봇같이 똑 부러지는 발음과 함께 목적지에 근접해졌다는 안내방송이 흘러나왔다.

오랫동안 딱딱한 의자에 앉아있었더니 엉덩이도 덩달아 딱딱해진 기분이었다.

다리 또한 나의 것이 아닌 것처럼 어색하게 느껴졌다.

"다 왔어…?"

그때, 곤히 자고 있던 그녀가 타이밍 좋게 눈을 떴다.

"응, 곧 있으면 내려야 하니까 짐 챙기자."

"…으응."

아직 잠에서 덜 깼는지 짙은 하품 소리가 연거푸 들려왔다.

입을 옹졸하게 벌리고 하품하는 모습은 나까지 노곤하게 만들었다.

나는 어색한 다리의 감각을 이끌고 비몽사몽인 그녀와 함께 기차에서 내렸다.

비릿한 바다의 향기가 선선한 바람을 타고 코끝을 맴돌았다.

머릿속이 청량해지는 기분이었다.

"바다 냄새 대박. 저번 주에 먹었던 고등어조림 냄새랑 똑같아."

"덕분에 여행 온 분위기가 나네."

어느샌가 맑아진 눈으로 그녀가 큭큭 웃으며 얘기했다.

고등어 냄새랑 똑같다는 거는 긍정인 건지, 부정인 건지.

그녀의 단순한 표현 방법에 순간 파열음이 나올 뻔했다.

"고등어로 비유를 하는 건 좀 놀라운데?"

"정호 너 지금 내가 단순한 인간이라 생각했지? 그런 거지?!"

"글쎄~"

도아가 나의 조절 못 하는 입꼬리를 본 모양이었다.

항상 부끄러움에 귀가 빨개지는 도아를 볼 때마다 묘한 희열감이 느껴진다.

물론 이런 쪽에 취향이 있는 것은 아니지만 말이다.

"일단 알아봤던 식당부터 전속력으로 가자. 이러다가 영양실조로 쓰러질 것 같아."

"엄살은. 이 지역에서 엄청 유명한 파스타 가게라 했나?"

"아마도? 지금 우리가 있는 역에서 도보로 이

십 분 정도라는데…."

"내가 만약 가다가 쓰러진다면 유산은 정호 너한테 다 줄게. 비록 아이스크림 하나 사 먹을 만큼이지만."

"네네, 그러세요. 그래도 주변 풍경들 구경하면서 가다 보면 금방 갈걸?"

"그러면 좋겠다, 얼른 가자. 빨리빨리."

그녀의 표정은 여느 때보다도 들떠 보였다.

지금껏 수많은 표정을 봐왔지만 이렇게나 들뜬 표정을 지을 수 있을 줄이야.

집에서 급하게 준비하며 온갖 생쇼를 한 보람이 있었다.

"밥 다 먹은 뒤에는 뭐 할래? 나는 아무거나 해도 괜찮은데."

"너 아무거나라는 말이 세상에서 제일 어려운 거 알아?"

"흐음, 그러면 밥 먹으면서 같이 생각해 볼까?"

"역시 배부터 채우고 봐야지, 찬성할게."

역시나 리드라는 것은 어려운 놈인 것 같다.

이런 경험이 빈번한 사람이었다면 물 흐르듯 자연스레 행동 했을 터이지만, 모든 것이 첫 경험인 나로선 매사가 쉽지 않게 느껴졌다.

오늘 처음으로 경험이란 놈의 소중함을 깨닫게 되었다.

"내가 가게 도착하면 몇 개 정도 간단하게 찾아볼게."

"적극적인 모습이 마음에 드는군, 내 신랑으로 받아들여도 손색이 없겠어!"

"너 저번부터 은근슬쩍 날 유부남으로 만들려 하더라?"

"딱히 상관없을걸? 내가 신부거든."

언제부터 이렇게 능청스럽다 못해 당돌한 성격의 소유자였는지 참.

그래도 밝은 모습을 보니 기분은 좋았다.

식당으로 가는 동안의 풍경들은 썩 좋진 않았던 것 같다.

우리가 걷던 인도 바로 옆에는 무수히 많은 방파제가 즐비해 있었고, 갈매기들이 싸놓은 똥 탓인지 대부분이 하얗게 변질되어 있었다.

또한 자전거 도로와 인도의 구분이 명확하지가 않아, 정면으로 오는 자전거와 여러 번 부딪힐 뻔하기도 하였다.

도아는 이런 것들이 마냥 즐거운 모양이었지만 솔직히 싫증이 나서 격하게 바닥을 뒹굴고 싶을 정도였다.

그래도 파스타는 완벽했다.

우리 둘 다 가게 메뉴판에 떡하니 '추천하는 최고의 파스타!'라고 적혀있는 메뉴를 주문하였는데 정말 합리적이었던 것 같다.

질이며 양이며 무엇 하나 흠잡을 곳이 없었고, 음식의 플레이팅마저 고급스럽게 나와 현역 여고생인 그녀는 쉴 틈 없이 휴대폰 셔터를 눌러대었다.

"여기 진짜 짱이다. 역시 내 안목은 틀리지 않았어."

"감탄은 그만하시고, 이제 음식을 드시죠."

"정호 넌 여자의 마음을 몰라도 너무 몰라. 이쁜 걸 보면 사진 찍고 자랑하고 싶고 막 그런 거 있잖아!"

"…음, 존중은 하지만, 이해는 안 되는데."

"됐네요, 됐어~"

나는 매번 뾰로통해하는 도아의 표정 때문에 장난치는 것을 끊지 못하겠다.

국내에 합법적인 마약이 있다면, 그 마약의 이름은 '김도아 놀리기'일 것이다.

여행 중 놀라웠던 게 있었다면, 단연코 여고생

의 엄청난 수다 능력이었다.

내가 파스타 면을 건져 올릴 때마다 도아의 입에서는 무분별한 수다 공격이 나의 귀를 침투했다.

겨우 밥 먹는 30분 동안 만에 도아의 인간관계는 모두 꿰뚫어 볼 수 있는 경지에 이를 수 있었다.

재잘재잘 떠드는 와중에도 파스타는 다 해치웠다는 게 놀라울 따름이었다.

“다 먹었으면 슬슬 일어날까?”

“휴, 배 터질 것 같아. 디저트는 못 먹을 수도.”

떠들면서 바로바로 소화한 거 아니냐며 놀리려던 입을 꾹 막았다.

괜히 심기를 건드렸다가는 국물도 안 남을 수 있다.

“뭐든지 무리하면 안 좋아.”

“아니야, 그래도 밥을 먹었으면 디저트는 무조건 먹어줘야 예의지! ”

“여기 근처에 크로플 가게 있대. 얼른 가자!”

“그건 또 언제 찾았어? 역시 대단하네….”

음식을 씹고, 수다마저 떠드는 와중에 언제 디저트 가게까지 찾아 놓았는지 믿을 수 없었다.

어쩌면 몸이 2개 일수도 있겠다는 의심이 들 정도였다.

우리는 디저트를 먹기 위해 빵빵해진 배를 이끌고 다시 걷기 시작했다.

나를 앞장서서 걸어가는 그녀의 모습은 아름답다는 표현으로는 부족할 것 같았다.

뜨거운 태양은 조명 역할을 하듯 그녀의 새하얀 원피스를 부각시켜 주었고, 그사이 잔잔한 바람에 펄럭이던 밑단은 마치 영국 귀족과 같은 고급스러움을 더해주었다.

나와 비교되는 외모를 볼 때면 그녀에 대해 감탄을 하다가도 왜인지 모를 거리감이 느껴진다.

굳이 외적인 요소가 아니더라도 가끔식 이상한 거리감이 느껴지는 것 같다.

나는 애써 이 기분 나쁜 거리감을 없애기 위해 먼저 입을 열었다.

"크로플 먹은 다음에는 뭐할까?"

"우리 여기 와서 지금까지 한 게 전부 다 먹는 거였거든."

"…음, 하루 종일 맛있는 음식을 찾아 돌아다니는 음식 투어도 괜찮지 않을까?"

"사양할게. 난 벌써 한계야."

"벌써 한계라니 나약하구나."

"과연 내가 나약한 걸까, 도아 네가 강력한 걸까."

도아는 농담을 듣자마자 까불지 말라는 듯 주먹으로 내 팔을 툭 쳤다.

우린 서로에게 너무 편한 존재가 되었다.

서로에게 끌린다. 서로에게 의지한다. 서로에게 힘이 된다.

불완전했던 우리의 형태가 서서히 모습을 잡아가는 것이 느껴졌다.

크로플을 시킨 후, 이번에도 그녀의 카메라 셔터는 열일을 하였다.

한 손에 크로플을 쥐고 얼마나 다양한 표정으로 사진을 찍어대는지 모르겠다.

내 옆에 바짝 붙어 크로플과 함께 단체 사진도 찍었다.

크로플마저 자랑하고 싶고 그런 건가?

아직까진 여자만의 문화를 이해하기 어려운 것 같다.

"크로플 진짜 맛있어! 입에서 녹아내려."

"얼른 한입 먹어봐."

그녀는 반짝이는 눈으로 자신이 베어 먹던 크

로플을 나의 입으로 갖다 댔다.

"…음, 그게."

"왜? 너 설마 내가 먹던 거라서 그래?"

"…그게 아니라."

나는 차마 먹지 못하는 이유를 말하지 못할 것 같았다.

"간접키스 같은 유치한 생각한 건 아니지?"

"…"

정곡이 찔렸다.

도아가 먹던 거라는 생각을 하니 왠지 모를 부끄러움이 내 입을 막아버렸다.

"풉, 이정호 완전 유치해. 요즘 초등학생도 간접키스 같은 건 신경 안 쓰겠다~"

"…먹으면 되잖아, 먹으면."

서로 놀리는 거에 재미가 들리니 참.

나는 보란 듯이 과감하게 먹던 부분을 정확히 베어 물었다.

그래도 부끄러움을 감수하고 먹은 크로플의 맛은 생각보다 괜찮았다.

평소 달콤한 걸 좋아하는 사람으로선 만족스러운 당의 함유였다.

"막상 먹으니까 맛있지? 그치?"

"응, 맛있긴 하네."
도아는 만족스러운 표정을 지었다.
"간접키스 해서 좋았어?"
"…시끄러."
오랜만에 약점을 제대로 잡혀버렸다.
이때를 기회다 싶어 엄청나게 놀려대다니. 나중에 꼭 복수를 해주고 싶어졌다.
우리는 크로플을 다 해치우자마자 바다로 가자는 의견이 나왔다.
바다까지 왔는데 발 한번 담가야 예의라는 김도아 씨의 의견이었다.
뭔 예의가 그렇게 많은지.
내가 여태껏 예의 없이 살아온 것 같다는 생각이 들었다.
"여벌 옷도 없으니까 딱 발만 넣어야 된다?"
"당연하지, 누굴 바보로 알고. 정호 너나 안 빠지게 조심해."
"기회 보다가 밀어버릴 거니까."
살벌한 경고였다.
결국 들어가긴 했지만, 저게 진심인지 아닌지 구별이 안 되어서 바다에 들어가기가 잠깐 망설여졌었다.

크로플 가게 바로 앞이 우리가 가려 했던 해수욕장이었기에, 큰 힘을 들이지 않고 바다에 들어갈 수 있었다.

"그냥 들어가면 신발 안에 모래 다 들어갈 텐데 미리 벗고 가."

"좋은 아이디어야."

가을 초에 와서 그런지 해수욕장은 굉장히 쾌적했다.

"으악, 모래 생각보다 뜨거워! 빨리 가야겠다."

도아는 발이 뜨겁다는 이유로 순식간에 바다로 먼저 달려갔다.

별로 뜨거운진 모르겠는데.

모래와의 접촉을 최대한 줄이기 위해 껑충껑충 뛰어가는 모습이 마치 잽싼 토끼 같았다.

저 다양한 뒷모습을 매일 보고 싶어진다.

왠지 도아의 뒷모습을 볼 때면 여러 감정이 몰아치게 된다.

나쁜 감정보다는 좋은 감정 쪽으로.

"……빨리 와!"

도아가 멀리서 펄쩍펄쩍 뛰며 나를 부르는 소리가 들려왔다.

나는 두 팔을 크게 벌려 가겠다는 제스처를 취

했다.
바닷물은 예상대로 차가웠다.
발을 넣은 곳이 그늘이 진 곳이어서 그런지, 살벌한 수온이 나의 체온을 미지근하게 만드는 것이 느껴졌다.
"물 너무 차가운데, 감기 걸리는 거 아니야?"
"뭘 발만 넣은 정도 가지고 그래. 겁쟁이 이정호."
도아는 말이 끝나기 무섭게 두 손을 가득 모아 나를 향해 흉기 수준인 물을 퍼부었다.
옷에 스며든 물들은 빠르게 나의 체온을 뺏어갔다.
차가워서 죽는 줄만 알았다.
"오호라, 김도아 먼저 도전장을 내민 거지?"
"덤벼라 애송이."
그렇게 우리는 시간이 가는 줄 모르고 물장난을 치며 놀았다.
나는 배려 차원에서 다리 쪽만 공격했지만, 도아는 전력으로 내가 고통받는 모습을 즐겼다.
그 결과 옷이 다 젖어 말리느라 엄청난 고생을 하였다.
중간에 바다 내부도 관찰해보려했는데, 움직일

때마다 모래가 뿔뿔이 흩어져서 잘 보이지는 않았다.

안을 보려고 한 발짝 내디딜 때마다 모래는 더 크게 흩어져 버렸다.

"무한의 굴레네. 보는 건 그냥 포기해."

도아는 그런 나를 보고선 한마디 일침을 날렸다. 순간 멍청한 짓을 한 것 같다는 생각에 낯짝이 뜨거워졌다.

우린 발가락이 부어서 탱탱해질 때쯤, 바다를 빠져나왔다.

어느샌가 노을은 퇴근을 할 채비를 하고 있었다.

잔잔하게 치는 파도로는 노을의 잔상이 일렁였으며, 갈매기의 울음소리는 낮과는 달리 심신을 차분하게 만들어주었다.

노을은 분명 낮의 태양보다 화력이 약했지만, 더욱 뜨겁게 느껴지는 것 같았다.

"조금만 감상하다 갈까?"

노을을 보던 도아가 말했다.

"응, 편한 대로."

나는 도아의 요청대로 아무 말 없이 노을 감상에 몰두했다.

그녀는 생각이 많아 보였다.
단순히 구경을 하는 것처럼 보이지는 않았다.
무슨 생각을 하고 있는지 물어보고 싶었지만, 나 자신을 다치게 만들 수도 있을 거란 생각에 그만뒀다.
고민의 10할 중 9할은 나랑 관련된 것일 거니까.
우린 서로의 일상 속 큰 부분을 차지하고 있다. 나도 생각의 9할은 그녀에 대한 생각일 것이며, 나머지 1할은 그녀에게 잘 보이기 위한 생각일 것이다.
내 몸뚱아리는 원래 죽으려고 했던 몸이었지만, 그런 몸을 그녀가 구해주었다.
이런 내가 머릿속이 그녀로 꽉 차지 않고서야 배길 수 있을까.
"슬슬 갈까?"
노을이 거의 다 지려고 하는 와중에도 도아는 집중의 끈을 놓지 않고 있었다.
정말 어두컴컴해져서야 정신을 차릴 기세였기에 몰두해 있던 도아를 불러 깨웠다.
"응? …아, 응."
"미안 미안, 노을이 너무 이쁘다 보니 심취해

버렸네. 빨리 나가자."

또 이 기분이다.

도아에게서 이상한 거리감이 느껴진다.

여태껏 괜찮아진 것 같다가 왜 또 이런 불길한 기분이 느껴지는지 모르겠다.

"아직 시간 여유 좀 있는데 걸을래?"

"상관없어, 편한 대로."

"맨날 편한 대로, 편한 대로, 정호 너 의견은 어떠냐고!"

"…좋아."

"드디어 솔직해지셨네."

내가 그렇게 '편한 대로'라는 말이 했었나 의문이 들었다.

나한테는 이것이 긍정의 의미로 쓰이는 거였지만, 다른 사람은 애매한 답변으로 들리는 모양이었다.

모래사장을 벗어나자, 주변의 공기가 산뜻하게 느껴졌다.

겉옷을 입은 나도 덥다고 느껴지지 않는 날씨였다.

"원피스만 입었는데 안 추워?"

"…음, 약간 쌀쌀해."

"겉옷 벗어줄까?"

여기서는 겉옷을 벗어주는 게 남자다운 행동이라 생각했다.

"진짜? 사양하진 않을게."

내 겉옷을 입은 그녀는 강아지처럼 옷 냄새를 맡아댔다.

"냄새는 왜 맡아?"

"그냥 각자의 사정이 있는 거야."

이해할 수 없는 말이었다.

뭐. 상관은 없지만.

그 후, 우린 말 없이 걷기만 하였다.

대화는 하지 않고 있지만, 서로 통하고 있다는 것은 알 수 있었다.

"…정호야."

얼마나 걸었을까, 그녀의 영원할 것만 같은 부름이 들려왔다.

고개를 살짝 돌리자 어느샌가 도아의 귀는 좀 전까지 봤던 노을만큼이나 붉어져 있었다.

"왜 그래? 몸이 좀 안 좋아 보이네."

"바다에 오래 있어서 감기라도 걸린 거 아니야?"

"그게 아니라…."

이렇게 말하는 걸 뜸 들이는 도아의 모습은 오랜만이었다.

"편하게 얘기해도 돼."

"……손."

"응?"

순간 바람의 소리 때문에 그녀의 목소리가 묻혀 잘 들리지 않았다.

조금 더 가까이 다가갔다.

"너무해, 못 들었어?"

"손, 손잡아도 되냐고……."

이번엔 정확히 들을 수 있었다.

심장이 터지는 줄 알았다.

난생처음 사람의 고동이 이렇게 빨리 뛸 수 있는지 처음 알았다.

금방이라도 터질 것 같던 마음은 독처럼 온몸 전체로 퍼져갔다.

발끝은 심하게 저려 왔고, 나의 볼과 귀는 직접 느낄 수 있을 정도로 심하게 뜨거워져 갔다.

이런 내 처지를 들키지는 않을까 조심스럽게 쳐다본 그녀 역시 나랑 다를 게 없어 보였다.

어디에 두어야 할지 모르는 시선, 상기된 얼굴, 파르르 떨리는 입술, 어정쩡한 손의 위치, 안절

부절못하는 다리.

이 사람만 곁에 있어 준다면 지구가 당장 사라져도 좋을 것 같다는 생각이 들었다.

"…좋아."

나는 지글지글 익어서 재가 되어 버리기 전에 먼저 그녀의 손을 잡았다.

움찔거림이 느껴졌다.

제대로 잡아본 도아의 손 감촉은 매우 따듯했으며, 거친 내 손과 달리 부드러웠다.

한 손에 가벼이 잡히는 사이즈인 것 같았다.

지금 우리는 서로의 체온과 감정을 거짓 없이 나누고 있다.

손을 잡고 있으니, 평소보다 애틋해지는 느낌이다.

평생 곁에서 이 여자를 행복하게 해주고 싶다는 생각이 들게 된다.

"…생각보다 부끄럽네."

"…마찬가지야."

우리는 시간이 얼마나 흐르든, 손 땀이 얼마나 흐르든, 꽉 잡은 두 손을 놓지 않았다.

한참을 분위기에 취해 산책로를 따라 걸어갔다.

하도 걸어서 다리가 살짝 아려올 때쯤, 하늘은 구름이 보이지 않을 정도로 어두워져 있었다.

푸르게 빛나던 바다는 더 이상 시야에서 보이지도 않았다.

이미 전철 시간을 놓쳤을 수도 있다는 생각이 들었다.

조금만 더, 딱 5분이라도 더 그녀의 따듯한 체온을 느끼고 싶었지만, 나의 단순한 어리광으로 그녀를 당혹스럽게 만들면 안 된다고 생각했다.

"우리 슬슬 가야 할 것 같은데…."

"전철은 이미 놓쳤을 수도 있겠다."

"…"

"도아야?"

그러나 당혹스럽게 만드는 건 내 역할이 아니었나 보다.

"……싫어. 조금만 더 같이 있고 싶어. 내일 돌아가자."

꿈만 같은 달콤한 목소리가 순식간에 내 주위를 휘감았으며, 이것이 백일몽 따위가 아닐지 하는 생각도 들었다.

그것도 그럴 것이, 이 말은 즉 주변 숙소에서 하룻밤을 자고 가자는 뜻이란걸 나는 너무나도 잘 파악하고 있기 때문이었다.

마음만큼은 그녀를 저지하고 싶었지만, 몸은 그것을 거부하고 있었다.

여름비로 뜨겁게 데워진 공기 때문일까, 묘한 아련함으로 인해 냉정한 판단이라곤 사라진 지 오래였다.

"너만 괜찮다면, 난 좋아."

"진짜? 진짜지? 엄마한텐 친구 집에서 자고 간다고 말해야겠다."

결국 나는 무책임하게 저질러 버렸다.

'될 대로 되라지!'라는 심정이었던 것 같다.

도아는 흥분한 나머지 내 손을 뿌리치고선 급하게 휴대폰을 꺼내 전화를 걸었다.

서로 목소리만이 들림에도 불구하고 온갖 손짓을 사용하며 아줌마에게 다양한 핑계를 대고 있었다.

조금 시간이 지나자, 핑계가 제법 잘 먹혔는지 그녀는 나를 향해 주먹을 불끈 쥐었다.

도아와 하루를 같이 보낸다니 심장이 미친 듯이 쿵쾅거렸다.

"허락받았다! 엄마가 이상한 짓만 하고 다니지 말래."

"정호 너 막 잠자는 숙녀를 건드리는 남자는 아니지?"
"아니거든, 난 상대방 허락 없인 아무 짓도 안 해."
"허락만 하면 바로 건드리겠다는 의미…?"
"놀리지 마, 바보야."
한적한 산책길 두 남녀의 정겨운 농담만이 고요함을 가득 채운다.
행복하다. 머릿속이 한 사람으로 가득 차버리는 것이 느껴진다.
이젠 정말 그녀가 없으면 안 될 것 같다.

주변 숙소는 정말 겨우겨우 잡았던 것 같다.
시간이 늦었던지라 남은 자리도 없었고, 미성년자는 처음부터 받지 않는 곳이 많았기 때문이다.
그러나 슬슬 지칠 때쯤, 얼마 안 되는 거리에 숙소 하나를 예약할 수 있었다.
펜션의 형태였기에 가기 전 마트에 들러 고기와 음료수 등을 구매하였고, 그릴과 숯은 무상으로 제공해 준다고 해서 돈은 크게 들지 않았다.

그냥 잘 수는 없으니, 각자 싸구려 잠옷도 하나씩 구매했다.

"잘못하면 땅바닥에서 노숙할 뻔했네. 갑자기 하루 자고 간다고 하니까 이렇게 되는 거야."

"숙소 예약하기 전까진 헤벌쭉했으면서 잔소리하긴…. 늦었네요~"

"…뭐. 결국 잡았으니, 이번엔 넘어갈게."

내가 정말 헤벌쭉한 표정을 짓고 있었나.

오로지 손의 감각만에 집중하다 보니 어떤 상태였는지 기억이 잘 나지 않는다.

지친 체력을 이끌고 도착한 숙소는 나름대로 만족스러웠다.

2층 형태의 건물 안에는 주인이 키우는 듯한 들고양이들이 납작하게 누워있었으며, 벌써 밤을 즐기는 사람들의 소리가 들려왔다.

바로 옆이 바닷가라 적적하게 들리는 파도 소리도 펜션과 잘 어울렸다.

"생각보다 깔끔하지 않아? 완전 마음에 들어!"

"그러게, 이 정도로 수준 높은 숙소일 줄은 몰랐는데."

"아무쪼록 잘됐네."

숙소 내부는 방 하나가 딸려 있었기에 도아와

껄끄러운 상황이 발생할 일은 없을 것 같았다.

아쉬운 점이 있다면 원베드라는 것?

벌써 머릿속에서는 딱딱한 바닥과 물아일체가 되어 있을 나의 모습이 재생된다.

"아아, 너무 피곤해. 그냥 씻고 자고 싶다."

도아가 침대에 철퍼덕 쓰러지며 말했다.

"그래도 밥은 먹고 자야지. 일어나, 고기 구워줄게."

"진짜? 난 그러면 가만히 앉아서 주는 고기만 계속 받아먹어야지."

"원래 그럴 생각이었으면서…. 준비 다 한 다음에 나와."

나는 도아가 침대에서 빈둥거리는 사이에 씻고, 옷을 갈아입었다.

가을의 밤은 확실히 특별한 것 같다.

숙소의 문을 열고 나가자, 낮의 뜨거웠던 열기를 식혀주는 시원한 바람과 합주처럼 듣기 좋게 들려오는 풀벌레의 소리.

어둠 속 숨어있는 몽글거림.

모든 것이 가을에만 느낄 수 있는 혜택이었다.

가끔 사계절이 없는 국가들은 아쉽지 않을까 하는 생각도 든다.

개인적으로 한 계절만이 반복된다면 따분할 것 같다.

바람에 멍때리는 것은 뒤로 한 채, 슬슬 불판에 고기를 굽기 시작했다.

미리 구워 놓는 편이 도아가 더 기뻐할 것 같았다.

"고기 냄새 짱이다. 벌써 식욕이 수면욕을 제압시켜 버렸어."

그녀는 강아지처럼 킁킁거리며 바비큐장으로 걸어 나왔다.

젖은 머리카락을 말리지 않았는지 물방울이 뚝뚝 떨어지고 있었다.

"금방 익을 것 같다. 조금만 기다려."

"뭐라도 마시고 있을래?"

"응응, 그러고 있을래."

한 손으로는 고개를 굽는 상태로 힘겹게 음료수를 건네주었다.

"정호 너 고기 되게 잘 굽네. 알바 같은 거라도 했었어?"

"그냥 남자의 감이지."

'적당히 고기의 핏기가 사라지면 뒤집는다.'

이것만 지켰음에도 불구하고 그녀의 눈에는 내

가 숙련된 달인처럼 보였나 보다.

나는 멋쩍은 웃음을 지으며 그녀에게 말했다.

"밥 다 먹으면 바로 잘 거야?"

"음, 아마 밖에서 멍때리다가 들어갈 것 같은데."

"개성 있네. 뭐, 알겠어."

그녀도 멋쩍은 미소를 지었다.

안 어울리게 고독함을 즐긴다니.

아무래도 도아의 근심과 걱정들이 몸속 회로를 꽉 막고 있는 듯 보였다.

오늘 해변에서도 그렇고, 애써 밝은 척하려는 게 느껴진다.

나는 그런 그녀에게 아무런 도움도 줄 수 없다.

의지 하나만 가득하다고 해서 그녀를 행복하게 해줄 수 있는 것은 아니었기에, 매 순간 옆에 붙어 나에게 다가오기만을 지켜봐 주는 것이 나의 최선이다.

"난 그러면 먼저 들어가 있을게. 치우는 건 내일 일찍 일어나서 치우고."

생각보다 고기는 빨리 바닥을 보였다.

살 때는 분명 많아 보였는데, 막상 먹다 보니

오히려 부족하다 느껴졌다.

"응, 난 그럼 잠깐 내려갔다 올게."

"금방 들어갈 테니까 걱정은 하지 말고~"

도아는 돌계단을 따라 펜션 옆 작게 조성되어 있는 호수 쪽으로 내려갔다.

따라가서 같이 대화를 나누고 싶은 마음은 굴뚝같았지만, 그녀도 그녀만의 시간이 필요할 것이라 생각했다.

사람 한 명이 없다고 금세 외로운 적막이 나를 덮쳐왔다.

예전 같으면 당연했을 무료함이 지금은 조금 거북하게 느껴진다.

아마 도아의 영향이 강한 탓이겠지….

고기 구울 때 체력을 다 썼는지 엄청난 졸음이 밀려왔다.

눈을 감기만 해도 잠에 빠져들 것만 같았다.

그녀가 오기 전까지는 버티고 싶었지만, 나는 결국 침대에 몸을 던졌다.

띠링-

휴대폰 알림이 울렸다.

몸을 일으킬 때 엄청난 노곤함이 느껴졌다.

그 짧은 사이에 내가 잠이 들었다는 것을 확인할 수 있는 찌뿌둥함이었다.

이상한 자세로 자버린 탓에 목이 뻐근해서 죽을 뻔했다.

나는 뭉그적거리며 휴대폰을 확인했다.

ㄴ

호수로 와.

도아가 보낸 문자였다.

단 4글자 만에 몸의 둔함이란 온 데 가고, 정신이 바짝 드는 것 같았다.

몰골이 초췌하지는 않을까, 세수를 열심히 한 후에서야 문밖을 나섰다.

시야가 칠흑처럼 어두워진 탓에 휴대폰 라이트만을 의존하며 나아가야 했다.

이렇게 어두워질 때까지 혼자서 뭐 하고 있는 건 지 조금 걱정이 되었다.

천천히 돌계단을 내려가자, 호수를 마주 보고 앉아있는 그녀의 모습이 보였다.

도아는 내려온 나를 보았지만, 아무 말도 하지 않았다.
순전히 손짓으로 자신의 옆을 가리킬 뿐이었다.
"옆에 앉으라고?"
"응."
저녁과는 사뭇 다른 분위기였다.
그녀의 고개는 땅바닥에 고정되어 있었으며, 요란스럽게 신발 밑창으로 흙을 어지럽혀댔다.
우선은 요구대로 옆자리에 털썩 주저앉았다.
어떠한 말도 오고 가지 않았다.
평소대로라면 누구보다도 편하고 수선스러웠을 그녀였지만, 침묵이 계속되다 보니 몸을 가만히 못 겨눌 정도로 어색함이 느껴졌다.
약간의 긴장감이 고조되는 상황 속 풀벌레의 울음만이 계속해서 들려왔다.
"이렇게 깜깜해질 동안 안 들어오고 뭐 하고 있었어."
"추울 텐데 외투 하나 안 걸치고…."
도아는 이러한 걱정 어린 말에도 애써 웃음만 지을 뿐 그 이상 말을 꺼내지 않았다.
어색한 침묵은 한동안 지속됐다.

그녀가 옆에 있음에도 불구하고 어디론가 떠날 것만 같은 불안감이 엄습해 왔다.

연을 이어갈 수 있는 시간은 한정적이다.

시간이 더 지나면 그녀가 사라진다. 나와 그녀의 인연이 끝나고, 또 혼자서 견뎌야 하는 영겁이 찾아온다.

그 순간, 도아의 시선이 내게 향했다.

찰나의 순간이었다.

"달이 아름답네."

"좋아해."

세상 모든 것이 그녀로 물들어간다.

제4화

그녀와 지냈던 하루가 지나가고 그녀와 지낼 새로운 하루가 시작된다.

자연스레 떠지는 시야 속 도아가 가장 먼저 눈에 들어왔다.

왜 한 침대에서 자고 있지?

내 성격상 도아와 떨어져서 자려고 했을 텐데.

전날 무언가에 세게 강타당한 듯 호수 이후로의 기억이 끊겨버렸다.

그나마 기억이 난다면 그녀를 업고 숙소까지 데리고 왔다는 것과 우리가 키스를 했다는 것.

도아는 고백을 하고 나자마자, 긴장이 풀렸는지 내 어깨에 기대어 곤히 잠들어버렸다.

깨지 않게 업느라 애를 좀 먹었던 것 같다.

방금 막 일어나 정신이 몽롱했지만, 일단 도아

가 일어나기 전에 간단한 아침밥을 만들어 놓기로 결정했다.
나는 어렸을 때부터 일어나자마자 누군가 만들어준 따듯한 밥이 그리웠다.
아침에 일어났는데 음식이 차려져 있다면 정말 행복하지 않을까? 라는 생각이 들곤 했다.
나의 과민 반응이겠지만, 그녀에게만큼은 이런 외로운 기분을 느끼게 하고 싶지 않았다.
그녀는 행복했으면 좋겠다.
거실에서 시끄럽게 성을 내고 있는 냉장고를 열어보자, 놀러 오기 전에 사 온 양파, 마늘, 즉석밥, 햄 등이 자리하고 있었다.
어서 볶음밥으로 만들어 달라 애원하는 듯한 완벽한 재료들이었다.
나는 그에 응하듯 제법 넓적한 프라이팬을 꺼내 재료들을 다 때려 부었다.
볶음밥은 대충 만들수록 더 맛있는 것 같다.
오히려 정성 들여서 만들려고 하면, 볶음밥의 투박하고 섬세한 맛이 부족해진다.
분명 볶음밥을 처음 만든 사람도 귀찮아서 대충 남은 음식끼리 섞다가 만들어진 걸 것이다.
적당히 숟가락으로 볶아주니 꽤 그럴싸한 비주

얼과 고소한 냄새가 은은하게 풍겼다.

"…일찍 일어났네."

이런 유혹적인 냄새가 귀신같이 도아를 깨웠나 보다.

아직 졸린 듯 눈을 비비적거리며 거실로 저벅저벅 걸어 나오는 그녀의 모습은 분명 부스스한 모습이었지만 헝클어진 머리카락, 살짝 잠긴 목소리, 흐느적거리는 몸짓.

세세한 것 하나하나가 귀여울 뿐이었다.

"깨우려고 했는데 일어났네. 거의 다 만들었으니까 간단하게 세팅 좀 해줄래?"

"식탁에 수저 정도만 올려줘."

두 눈을 끔뻑거리다 뒤늦게 상황을 파악한 도아는 부끄러운 듯 말했다.

"…미안, 늦잠 잤다."

고개를 푹 숙이고선 조그만 손가락을 꼼지락거리며 중얼거리고 있다.

별것도 아닌 일로 의기소침해진 모습이 웃음을 터뜨리게 만들었다.

"하하 그냥 먼저 일어난 김에 미리 준비하고 있었던 거야."

"난 진짜 괜찮으니까 신경 쓰지 마."

"이정호 너무 크게 웃어…."

그렇게 우리는 재료를 다 때려 부은 볶음밥을 먹기 시작했다.

한 숟가락을 먹어보니 나름 잘 만들었다는 생각이 들었다.

"정호 이거 진짜 네가 만든 거야?"

"당연하지. 별로야?"

"전혀, 너무 맛있어! 볶음밥 정도는 만들 수 있다는 게 사실이었구나."

"겨우 볶음밥 가지고 거짓말하겠냐."

나의 말에 멋쩍었는지 도아는 목을 큼큼하고 푸는 시늉을 했다.

"이 얘긴 됐고, 우리 이제부터 연인 사이 맞는 거지?"

순간 직설적인 질문에 씹고 있던 밥알들을 한 번에 삼켜버렸다.

"물, 물 좀…."

"너무 갑자기 물어봤나 보네."

도아는 목이 막혀 캑캑거리는 나의 모습이 꽤나 볼만 했는지 쉴 새 없이 웃어댔다.

물 한 통을 다 마실 때쯤이 되어서야 기침은 잠잠해졌다.

물이 없었다면 이른 나이에 생을 떠날 뻔했다.
"그래서 내 질문에 대한 대답은?"
집요했다.
내가 진정되기만을 기다렸다가 다시 물어본다니. 천사 같던 그녀가 조금 얄팍해 보였다.
"…그렇지?"
더 이상 대답하지 않았다간 내 명이 오래가지 않을 것 같다는 것을 느꼈다.
"역시 꿈이 아니었어. 다행이다…."
그녀는 나를 빤히 바라보며 은은하게 미소를 지었다.
사랑을 받고 있다는 느낌이 들었다.
이 사람이 정말 나를 좋아해 주고 있다는 느낌이 든다.
이 애정 어린 미소에서 거짓 따윈 눈곱만큼도 찾아볼 수 없었다.
"…나 솔직히 일어나서 정호 네가 아무 반응도 없길래 꿈이라도 꾼 줄 알았어."
"우리가 연인이라니 현실 감각이 떨어지기도 하고."
그녀가 저돌적으로 물어봤던 이유를 쉽게 파악할 수 있었다.

초조했던 거구나.

나 또한 일어났을 때 어제의 일이 현실인지 꿈인지 아리송했었다.

"꿈 아니야. 네가 고백했잖아."

"뭐라 했더라, 달이 아름……."

더 말하려고 하는 순간, 도아는 들고 있던 숟가락을 내팽개치며 양손으로 내 입을 막아버렸다.

"……그만! 부끄럽단 말이야."

"내가 얼마나 용기 내서 말한 건데."

도아의 얼굴은 완전히 홍조를 띠었으며, 부끄러워 쓰러지려고 하는 것 같았다.

"알았어, 안 꺼내려고 노력해 볼게~"

"노력하는 게 아니라, 그냥 꺼내면 안 돼!"

결국 놀리다가 딱밤 한 대를 얻어맞고 말았다.

서로 어제의 일을 의식하며 행복했던 아침 식사는 금세 막을 내렸다.

"다 먹었으면 슬슬 집으로 돌아갈까?"

"…응. 진짜 돌아가기 싫다."

"하루만 더 자고 갈까?"

"…안돼."

나는 말도 안 되는 응석을 부리는 그녀를 끌고

역으로 향했다.

하룻밤을 더 보내고 가자니.

아줌마 화가 목구멍 끝까지 차오를 것이 분명했다.

기차에 탑승하기 전, 언제 또 이곳을 올지 모른다는 생각에 있는 힘껏 공기를 들이마셨다.

역시 비릿한 냄새는 내 취향이 아니었다.

"언젠가 우리끼리 다시 오는 날이 오겠지?"

그녀는 아쉽다는 듯 내게 물었다.

"응, 분명."

자리에 앉은 도아는 잠깐 사이에 잠에 들었다.

아무래도 활동량에 비해 수면량이 적긴 했나 보다.

가는 동안 불편하지 않게 그녀의 머리를 나의 어깨에 살포시 얹었었다.

정말 연약한 생명체다.

'이번 역은—. 이번 역은—.'

도착한 후, 펼쳐지는 익숙한 풍경들에 기운이 쫙 빠져버린다.

여행하는 동안 생긴 공상적인 감각들과 고향에

도착해 느끼는 현실적인 감각들이 대립해 생긴 현상 같았다.

"잠깐 사이에 엄청 잘잤네. 집 같이 갈까?"

"내가 데려다줄게!"

우리 집이 도아의 집에 비해 아주 조금이지만 역에서 가까웠다.

그러나 여자가 남자를 데려다주는 건 그다지 이상적인 형태가 아니라고 생각했다.

"됐어, 이런 건 남자가 데려다줘야지."

"남는 게 시간이기도 하고. 사양할 생각이라면 나는 그걸 사양할게."

"요즘 시대에 남자 여자가 어딨다고…."

"이번만이야."

도아는 그럴 것 같았다는 뉘앙스로 고개를 절레절레 흔들었다.

우린 가는 동안 진중한 대화를 나누었다.

고백할 생각은 언제부터 했는지, 연애 경험은 얼마나 되는지, 미래 하고 싶은 일은 있는지 등.

서로에 대해 알고 싶었던 것, 몰랐던 것들을 차근차근 알아가는 시간이었다.

도아의 대답들은 웃기기도 했으며, 감동적이기도, 조금은 울적해지기도 했다.

그녀는 생각 외로 모든 질문에 순순히 대답을 해주었다.
하나의 질문만은 빼고 말이다.
나를 언제부터 좋아했는지에 대한 대답은 회피했다.
왜인지는 모르겠으나 별로 대답을 하고 싶어하지 않는 듯한 분위기였다.
나도 딱히 캐묻지는 않았다.
그녀도 언젠간 나에게 의지해줄 것이다.
"데려다줘서 고마워. 조심히 가!"
"나중에 부르면 또 나와야 한다?! 꼭 데려가고 싶은 곳이 있거든."
"당연하지, 얼른 들어가."
쉴 새 없이 대화를 하다보니 어느덧 그녀의 집 앞에 와 있었다.
그녀는 다음을 기약하며 집 문으로 걸어갔다.
"…저기!"
헤어진다는 것이 아쉬웠던 걸까. 아니면 돌아서는 그녀의 모습이 쓸쓸해 보였던 걸까.
나의 마음은 자연스레 도아를 향해 소리치고 있었다.
어려서부터 쭉 하고 싶었던 말을 뱉었다.

"정말 좋아해."

속이 후련하네.

오랫동안 뭉쳐있던 응어리가 풀린 기분이었다.

어떠한 대답을 원해서 말한 것이 아닌, 단지 내 진심 어린 마음이 그녀에게 닿기를 바랄 뿐이었다.

그때, 무언가에 의해 체중이 뒤로 쏠리는 느낌이 났다.

도아였다.

그녀는 나의 허리를 꽉 끌어안으며 떨리는 목소리로 말했다.

"정호 너는 내 인생 최고의 행운이야."

"나도 좋아해, 아니 사랑해…."

어깨 부근이 점점 촉촉해지는 것이 느껴진다.

"하루하루가 죽을 만큼 행복해서 이 행복이 끝나지 않았으면 좋겠어……."

도아의 몸이 심각하게 떨려왔다.

"정호야…."

"나 너무 힘들어……."

철장 속 갇혀있던 새에 불과했던 내가 처음으로 사랑을 말하고 있다.

모든 것은 영원할 수 없다.

시간은 우릴 기다려주지 않는다.

▻ ▻ ▻

뜨겁고 또 차갑다. 점점 젖어가고 깊이 빠져가는 것을 느낀다.

눈앞 흐릿하게 보이는 어린아이의 실루엣이 나에게 미소를 짓고 있다.

그 형체는 서서히 제모습을 잃어가며 사라져간다.

아무리 잡아보려 노력해 봐도 그것은 이미 내 곁을 떠난 뒤였다.

점점 더 깊이 종잡을 수 없을 정도로 빠져들어가 아무것도 보이지 않을 때쯤, 나는 침대에서 일어났다.

침대 시트가 다 젖을 만큼 흥건하게 땀이 흐르고 있었고, 가파른 산이라도 오른 듯 호흡은 거칠어져 있었다.

다행이다. 정말 다행이야.

나는 꿈이라는 사실을 깨닫고 나서야 평온을 되찾았다.

그 형체가 무엇인지는 모르겠지만, 눈앞에서 사라져갈수록 큰 절망감이 느껴졌다.

겨우 7살 남짓한 어린아이 같았는데.

오랜만에 찝찝하고 거북한 꿈이었다.

창밖을 보니 아직 아침이라기엔 미세한 어둠이 깔려있었다.

휴대폰을 집어 확인한 시간은 오전 7시 30분. 다시 자기에도 애매하고, 깨어있기도 애매한 시간이었다.

오늘은 중요한 약속이 있었기 때문에 일찍 일어난 것이 마냥 나쁘지만은 않게 느껴졌다.

도아의 버킷리스트는 오늘을 기점으로 하나만을 남겨두고 있다.

그 마지막 남은 버킷리스트의 내용은 나도 잘 숙지하지 못하고 있다.

그녀는 데려갈 곳이 있다고만 했을 뿐, 자세한 것은 말해주지 않았다.

평소라면 역으로 신나서 술술 말해줬을 텐데.

괜스레 궁금증만 부풀어져 갔다.

며칠 동안 하나의 단춧구멍만을 남겨두고 두려

움에 벌벌 떨고 있는 스스로의 모습이 눈에 들어왔다.

나도 알고 있는 것이다.

버킷리스트를 다 채운다는 것이 단순히 버킷리스트가 끝나는 걸 의미함이 아니었음을.

또다시 이런 생각을 하니 숨이 멎어간다. 금방이라도 산소가 부족해 죽을 것만 같다.

내 정신 상태는 절망적인 현실에 부딪히며 점점 상해가고 있다.

헛웃음이 다 나온다.

아직 아무 일도 일어나지 않았는데 혼자서 과대망상에 빠져 허우적거리고 있다니.

내가 소설 작가였다면 분명 글을 쓸 소재가 넘쳐났을 것이다.

아침은 간단하게 시리얼을 먹었다.

유독 아침이란 시간에는 음식이 목구멍으로 잘 넘어가지 않는다.

이 시간대만의 고유한 습성이 있는 것 같다.

움직이는 것도 귀찮고, 숟가락 드는 것마저도 귀찮아지는 그런….

사실 시리얼도 먹지 않을 생각이었지만, 아침을 매번 거른다고 혼내던 도아의 모습이 생각나

꾸역꾸역 먹기로 했다.
이렇게 보니 그녀는 내 일상 대부분에 침투해 있는 것 같다.
매번 모든 행동이 도아와 연관 지어진다.
물론 좋은 영향들밖에 받지 않았기 때문에 투정 부릴 틈 따윈 없었다.
적당히 뉴스라도 보며 시간을 때우고 있으니 약속 시간에 다다르고 있는 시계의 초침이 보였다.
오늘은 동네 주변에만 있을 거라서 편하게 입고 오라는 도아의 말이 떠올랐다.
나름대로 신경을 써준 거겠지만, 도아는 내 옷장이 편한 옷밖에 없다는 사실을 간과하고 있었다.
뭐. 잘된 일인가.
다 써버린 샴푸를 끝까지 짜내어 머리를 감은 후, 대충 집을 나섰다.
아직 덜 마른 부분이 있는지 차가운 물기가 피부에 스며드는 느낌이 났다.
공기의 흐름을 타고 이동하는 바람이 헤어드라이기 역할을 해주리라 믿고 약속 장소로 서둘러 걸어갔다.

가을의 아침은 기분이 좋아진다.

오후의 미지근한 공기와 반대되는 이 서늘한 공기. 약간의 괴리감이 마음에 든다.

요컨대 사람을 만족시키는 최적의 온도는 가을의 아침일 것이다.

만나기로 했던 공원에 다다르자, 누군가 삐그덕삐그덕 그네를 타고 있었다.

예상대로 도아였다.

있는 힘껏 그네를 타고 있는 모습이 천진난만한 어린아이 같았다.

그녀도 오늘만큼은 편안한 복장을 입고 온 것 같았다.

통이 넓은 반바지에 개성이라곤 전혀 없는 단색의 점퍼. 평소와 다른 후줄근한 모습 또한 색다른 매력으로 다가왔다.

"도아야!"

나의 짧고 굵은 외침에 그녀는 한 번에 뒤를 돌아보고선 나에게 달려왔다.

해맑게 달려오는 모습이 골든리트리버를 연상케 했다.

“이렇게 이른 아침에 보는 것도 처음이네!”

"음, 3분 정도 기다렸지만 뭐. 봐주도록 할게."

"더 늦었으면 큰일날뻔했네.”

그녀와 같이 있음으로써 나는 살아있음을 느낀다.

“그래서 오늘 어디 가는 거야?”

"아직은 알려줄 수 없지. 우선 따라와."

“얼마나 대단한 걸 보여주려고….”

“엄청 무지막지하게 대단한 거거든!”

도아는 장난기 섞인 말투로 나의 손을 잡았다.

나도 이에 응하듯 몸에 힘을 빼고 그녀에게 이끌려 갔다.

이러고 있자니 우리의 재회가 생각났다.

갑자기 전학 와서는 내 손을 낚아채고 이상한 곳으로 끌고 가다니.

지금 생각하면 정신이상자로 취급해도 전혀 문제없을 행동들이었다.

물론 그녀를 다시 만난 날은 나의 변곡점이 되었지만.

이렇게 나란히 걷을 수 있는 것도 그날 말도 안 되었던 행동 덕분이라고 생각한다.

우리는 천천히 또 조용히 이 세상에 우리 둘만

있는 듯 아무 말 없이 걸어갔다.

이제는 이 어색한 침묵이 아무렇지도 않게 느껴진다.

예고 없는 침묵은 마음 편하게 서로만의 생각을 정리할 수 있는 시간이 되었다.

나 역시 그녀에 관한 잡념들을 그녀와 직접 조우하고 있을 때 할 수 있어 훨씬 편한 것 같다.

혼자 생각하고 있자면, 뭔가 가늠조차 할 수 없을 만큼 복잡한 생각에 빠지게 된다 해야 하나.

"정호야."

항상 우리의 침묵은 그리 오래가지 않는다.

도아는 잎사귀가 다 떨어져 버린 나무 앞에 멈춰 서서는 나를 바라보았다.

"왜?"

"벚꽃 좋아해?"

"아마 좋은 편인 것 같은데."

"그렇구나. 나도 벚꽃이 참 아름다운 존재라고 생각해."

사뭇 진지한 표정이었다.

그녀의 굳어버린 표정을 볼 때면 늘 불안감에 잡아먹혀 버린다.

갑자기 가을에 벚꽃 얘기라니.

무슨 말이 날아올지, 무슨 상황이 일어날지, 도저히 예측이 되질 않는다.

"존속되는 시간은 짧은 주제에 모두가 좋아해주고 개화를 기다려줘."

"또 벚꽃은 사람들한테 아름답고 완벽한 형태로 기억에 남은 채 사라지는 것 같아."

그녀는 장난 같으면서도 진지한 듯 뜻을 헤아릴 수 없는 말들을 툭툭 뱉어내었다.

"무슨 의미야?"

"……그냥. 나도 벚꽃 같은 사람이면 좋겠다 싶어서?"

"가자!"

"…응."

이번에도 이해가 되지 않는 얘기들….

별로 깊이 생각하고 싶지 않아졌다.

지금 내가 할 일은 얌전히 그녀가 이끌어주는 곳을 따라갈 뿐.

더도 말고 덜도 말고 이 정도면 충분하다.

"아침밥은 제대로 챙겨 먹고 있지?"

공기가 어색하게 타들어 가자, 그녀가 먼저 말을 걸었다.

"어떤 분께서 맨날 뭐라 하니까 억지로라도 먹고 있지."

"흥, 정호 네가 어지간히 밥을 안 먹어야지."

다시 공기의 흐름이 돌아왔다.

"그것보다 아직 도착하려면 멀었어?"

"나 슬슬 다리에서 한계가 느껴지는데."

우리 동네라고 한 곳은 이미 동네 수준을 벗어난 거리였다.

"엄살 부리지 마, 바보야."

"그래도 거의 다 왔으려나. 조금만 더 가면 될 것 같은데?"

얼마나 대단한 곳이길래 이렇게까지 나를 데리고 가는지, 나의 궁금증은 점점 고조되어 갔다.

더 이상 익숙한 풍경들이 보이지 않을 때쯤이었을까.

우리는 북적이던 인파의 소리, 뿌연 매연을 뿌리며 도로를 달리는 자동차의 엔진 소리 등을 가로질러, 딱 봐도 좁아 보이는 골목으로 들어가기 시작했다.

골목은 성인 한 명이 지나갈 수 있을지도 애매한 사이즈였으며, 들어가면 들어갈수록 다른 세계로 걸어가고 있는 기분이었다.

평소 일상처럼 들리던 모든 잡음들은 이미 사라진 뒤였다.

“여기 제대로 된 길 맞아? 나 숨 막혀서 죽을 것 같은데.”

“그놈의 엄살은, 막상 보고 나면 깜짝 놀랄걸?”

정말로 숨이 막혀 오는 것 같았다.

하지만 고생 끝엔 낙이 있던가.

골목을 벗어난 후 보게 된 광경은 확실히 놀랄 만큼의 메리트가 있었다.

이런 환상 가득한 장소는 난생처음이었다.

주위에는 수없이 크고 많은 나무가 내 양옆을 가득 에워싸고 있었고, 산들산들 내 뺨을 스치는 바람들은 부드럽고 상쾌하게 느껴졌다.

"이런 곳이 실존할 수 있는 거였어…?"

그녀에게 혼잣말하듯 물음을 던졌지만 딱히 대답이 돌아오지는 않았다.

멋쩍어진 나는 대수롭지 않게 생각하며, 그녀를 쫓아갔다.

장엄한 풍경을 조금 지나자, 흥미로워 보이는 것이 자리를 잡고 있었다.

오랫동안 관리를 안 한 듯한 낡아빠진 정자였다.

"저기 잠깐 앉아서 쉴까?"
"너무 낡아 보이는데 괜찮겠어?"
"괜찮던데?"
정자의 상태에 대해서 이미 알고 있는 것을 보니, 아무래도 한두 번 온 모양은 아닌 것 같았다.
정자는 신비한 오라를 풍기고 있었다.
신기루라도 보는 것 같다 해야 하나.
외관이 낡았음에도 불구하고 내부는 새것 못지않게 깔끔한 상태였다.
깔끔하다기보단 완전히 새것 같은?
흠집 하나 박혀있지 않았으며, 신선한 나무의 향이 주위를 맴돌았다.
그러나 가장 놀라웠던 것은 이것이 아니었다.
정자의 옆에는 투명한 빛을 띠는 것 같으면서도 하얀빛이 겉도는 꽃들이 정자 주변에 활짝 피어있었다.
나는 바로 알아챌 수 있었다.
이것이 그녀가 보여주고 싶었다던 녀석의 정체인 것을.
누가 봐도 아름다운 장소였다.
신비로운 꽃들에 둘러싸여, 나뭇잎 틈 사이로

내리쬐는 햇살을 맞으며 앉아있다니.
이보다 평온할 수 없었다.
"그래서 여기가 어디야?"
"이제 슬슬 말해줘도 될 것 같은데."
이번에는 내 목소리를 들은 건지, 단조로운 목소리의 대답이 돌아왔다.
"내가 가장 좋아하는 장소."
"어때, 이쁘지?"
그녀는 칭찬을 기다리는 어린아이처럼 기대에 찬 눈으로 나를 바라보았다.
"…응, 정말. 이런 곳은 처음이야."
"여기 있으니, 뭔가 편안하고 기분이 좋아지는 것 같아."
그녀 역시 내 대답에 동의한다는 고개를 끄덕였다.
"잠깐만!"
"어디 가게?"
가만히 앉아있던 도아는 갑자기 정자 밑으로 내려가기 시작했다.
목적은 아무래도 꽃인 것 같았다.
우리 주위를 지키고 있던 꽃들 사이에 웅크려 꽃 두 개를 또각 따내더니, 하나는 주머니에 넣은 후 나에게 총총총 달려왔다.

한 손에 꽃을 들고선 씨익 웃는 모습이 금방이라도 장난칠 낌새임을 느낄 수 있었다.

"너 또 장난치려 하지."

"정답! 가만히 있어봐."

그녀는 잽싸게 내 무릎 위에 올라타, 오른쪽 귀에 꽃 한 송이 꽂아버렸다.

귀에 꽃이 꽂혀 안절부절못하는 나를 보자, 도아는 만족스럽다는 듯 배를 잡고 깔깔 웃어댔다.

"유치해 김도아…."

"정호 너 지금 완전 귀여운 거 알아? 사진 찍어줄게."

나는 그녀가 사진을 찍기 전에 얼른 간질거리는 꽃을 빼 옆에 얹어두었다.

"이걸 빼버렸어…. 너무해."

"귀가 간질거려서 안 되겠어."

옆에 두고 자세히 본 꽃은 신기한 색감이 내비치고 있었다.

평범한 꽃의 형태임에도 불구하고, 이상하게 시선을 끌어당기는 힘을 가지고 있었다.

"꽃 이름이 뭐야?"

"물망초."

그녀가 기다렸다는 듯 단번에 대답하였다.
물망초….
단조로우면서도 동글동글한 느낌의 이름이 마음에 들었다.
"지금의 나한테 딱 어울리는 꽃 같아."
"왜?"
"센스 없긴, 하얀 색깔이 나처럼 이쁘잖아."
그녀의 능청맞은 말솜씨에 나는 피식 웃으며 고개를 끄덕였다.
"자! 그러면 저희의 버킷리스트는 여기서 막을 내립니다~"
"그동안 고생 많았어, 정호야."
서로 어느 정도 숨을 돌리자, 그녀는 주변을 더 돌아볼 틈도 주지 않은 채 우리의 마지막을 매듭지어 버렸다.
끝이구나.
아쉽기도 하고 쓸쓸하기도 했지만, 이게 그녀와의 마지막은 아니라는 생각에 지금 이 순간을 수긍하기로 결정했다.
"뭘. 나는 아무것도 한 게 없는데."
"졸졸 쫓아다니는 건 잘했을지도."
도아는 웃으며 대답했다.

"정말 그런가? 나는 엄청 도움이 많이 되었다고 생각하는데."

"그렇게 생각해 주면 다행이고. 버킷리스트도 끝났는데, 앞으로 계획은 있어?"

조금 이별을 준비하는 사람한테 하는 멘트 같았다.

사실 계획이라기보단, 다른 하고 싶은 것이 있는지 물어볼 의도였다.

"…음, 그러네. 뭘 해야 할까. 정호 너랑 결혼 준비하기?"

"또 장난친다."

"장난 아니야."

그녀의 진지한 표정에 또 위축당해 버린다.

앞으로의 계획이 나랑 결혼 준비하기라니 너무 광범위한 계획이란 생각이 들었다.

"정호 넌? 특별한 계획 있어?"

"난 방금 하나 떠올랐어."

"뭔데?"

"꽃집을 운영할 거야. 되게 큰 꽃집."

"꽃?! 갑자기 뜬금없이 웬 꽃이야?"

예상한 반응이었다

"사람마다 다 사정이 있는 거야. 만약 오픈하게

된다면 특별히 수익의 5%는 도아 너한테 줄게."
"치, 짜네."
이런 생각까지 도달하는 데에 거창한 이유 따윈 없었다.
단지 그녀를 위한 것일 뿐.
나는 지금껏 그녀와 다니는 동안 많은 것들을 느끼고 배웠지만, 그중 유별난 것이 있었다면 바로 꽃이었다.
도아는 꽃을 평범하게 보지 않는다.
항상 자신과 비교를 하며, 대입을 해보고, 많은 깨달음을 얻어간다.
이런 행동들로 보아 꽃이란 생명체는 그녀에게 있어 뜻깊은 존재라 생각했다.
다양한 꽃들을 수집하고 직접 길러 그녀가 알지 못했던 더욱 다양한 꽃들을 보여주고 싶을 따름이었다.
"그래도 다행이다."
"뭐가?"
"정호 네가 스스로 원하는 게 생겼다는 게?"
그녀가 어색한 미소를 지어 보였다.
다행이라면서 그에 반해 얼굴은 그다지 밝아 보이지 않았다.

"슬슬 돌아갈까?"
"더 있지 않아도 괜찮겠어?"
"…응."
목표는 충분히 채운 모양이었다.
그녀의 눈동자에서는 욕심, 아쉬움, 즐거움조차도 비치고 있지 않았다.
생기가 사라졌다 해야 하나. 별로 마음에 들지 않았다.
우린 왔던 길을 따라 다시 걸어갔다.
왠지 이곳을 또 올 것 같은 느낌이 들지는 않는다.
좁고 눅눅한 골목을 지나자 잠시 다른 세상에 있다가 온 듯, 자동차들의 움직임이 신기하게 느껴졌다.
방금 전까지는 동화에서나 나올법한 곳에 있다가 21세기 문물의 현실을 보니 꿈인가 싶기도 했다.
"저기 있다가 나오니까 기분 좀 이상하지?"
그녀는 가끔 보면 내 생각을 읽는 것 같다.
"어떻게 알았어?"
"나도 여기서 나올 때면 이상한 이질감이 들더라. 너무 딴 세상에 있다가 온 것 같다 해야 하나."

확실히. 그녀의 말대로다.

"응, 그런 것 같네."

우리가 아침에 만났던 약속 장소까지는 체감상 올 때보다 더 빨리 도착한 것 같았다.

아마 아침에는 어디로 가는지에 대한 궁금증이 내 다리를 무겁게 만들었을 것이다.

계속 움직이느라 힘이 다 빠진 우리는 한마음 한뜻으로 자연스레 근처 벤치로 가, 엉덩이를 착 붙였다. 저절로 얕은 신음이 나왔다.

우리는 서로의 지친 모습을 바라보며, 눈을 맞추고 따듯한 미소를 지어 보였다.

누가 봐도 빈약한 두 다리를 너무 혹사시켜 버렸다.

"지금 벤치에 누워서 잠들 수 있을 것 같아."

그녀가 허벅지를 툭툭 두드리며 얘기했다.

"힘든 만큼 색다른 경험이었어. 데려가 줘서 고마워."

"별말씀을. 다음에 또 가자."

"응."

우린 한참을 조용히 쉬었다.

선선했던 바람이 제법 쌀쌀하게 바뀔 때가 되

어서야, 집에 가야겠다는 생각이 든 것 같다.
도아의 눈이 알게 모르게 감기는 것 같을 때쯤, 내가 먼저 입을 열었다.
"집 가서 자, 바보야."
"…응? 나 잤어?"
"거의 잠들 뻔했어."
졸음에 찌들어 몸을 제대로 못 가누는 그녀를 부축해 일으켜주었다.
"오늘은 이만 여기서 헤어질까? 서로 돌아다니느라 많이 피곤한 것 같은데."
"찬성할게. 졸려서 쓰러질 것 같아."
"그래. 조심히 들어가."
나는 가볍게 손을 흔들며 작별을 고했다.
그렇게 고개를 돌려 발걸음을 옮기려던 순간이었다.
"…정호야!"
그녀는 걸음을 옮기려던 나의 팔목을 붙잡았다.
"왜? 할 말 있어?"
"…그러니까, 그게."
딱 봐도 무언갈 얘기하고 싶어 하는 사람의 표이었다.
"천천히 얘기해도 돼."

“얼마든지 기다려줄 수 있어.”

도아는 자신의 입술을 꽉 깨물며 내적 고민을 하는 것 같았다.

표정도 꽤 불안정해 보였고, 쉽게 얘기할 것 같진 않았다.

“…으응, 아니야. 다음에 얘기해도 될까? 오늘은 조금 피곤하네.”

“알았어. 난 괜찮으니까 마음 정리되면 말해 줘.”

“고마워. 이해해 줘서.”

예상대로였다.

그녀의 손아귀에서 점점 힘이 풀리는 것이 느껴졌다.

뭐. 굳이 지금 들을 필요는 없다고 생각했다.

솔직히 도아가 무슨 말을 하려 했는지에 대해 캐묻고 싶은 마음은 태평양 같지만, 이런 상황일수록 감정에 이끌려서는 안 된다.

오히려 이성적으로 그녀에게 마음의 준비를 할 시간을 주는 게 맞는 행동이란 판단이 들었다.

나는 그녀를 믿는다.

언젠간 직접 모든 얘기를 들을 수 있을 것이라 생각한다. 분명.

우린 이 대화를 마지막으로 서로의 자리에 돌아갔다.

적당히 챙겨 입었었던 옷들을 바닥에 대충 벗어던지고 침대에 몸을 던졌다.

아무래도 일찍 일어나서 많은 거리를 활보해 피로가 누적된 모양이었다.

인기척 하나 없는 적막한 집은 잠을 청하기엔 최적의 환경처럼 느껴졌다.

베개에 얼굴을 파묻고 살며시 눈을 감았다.

얼마나 잠 들었던 걸까. 나는 본능적으로 체온이 정상적이지 않다는 느낌이 들어 잠에서 깨게 되었다.

창문 틈 사이로 들어오는 서늘한 바람이 긴 잠을 깨워준 것 같았다.

분명 조금밖에 자지 않은 것 같았지만, 어느샌가 시간은 자정을 가리키고 있었다

생각보다 오래 자서, 더 이상 졸리거나 기운이 없는 것 같지는 않았다.

몸 구석구석이 상당히 건조하게 느껴졌다.

자는 동안 바람을 대놓고 맞아서 그런지 목이

건조해 타들어 갈 것만 같았다.
얼른 물을 마시러 허리를 숙이며 계단을 내려갔다.
이제는 음식들로 꽉 차 있는 냉장고에서 생수통을 꺼내려던 그때였다.
—똑똑
늦은 시간 현관문에서 노크 소리가 들려왔다.
어둠이 짙어져 아무도 걸어 다니지 않을법한 시간, 들려온 노크 소리는 나를 당황시키기엔 충분했다.
이곳은 평소 잦은 범죄가 발생하던 동네였기에 신경이 곤두서기 시작했다.
"…누구세요?"
문 건너편에선 인기척이 느껴져 왔다.
마른침을 삼키며 문을 열어보려던 찰나,
"나야, 김도아."
익숙한 목소리가 들려왔다.
긴장했던 것도 잠시 안도감과 함께 다리에 힘이 풀려왔다.
신원 파악이 끝난 나는 재빨리 문을 열어주었다.
"이런 늦은 시간에 왜 왔어, 위험하잖아."

"내 몸은 내가 알아서 하거든요~"

도아는 걱정하는 나에게 보란 듯이 메롱을 날리며, 신발을 벗어 던졌다.

"잠깐 거실에 앉아있어. 뭐라도 가져다줄게."

"아니아니. 괜찮아, 나 지금 완전 배불러."

"잠깐 할 얘기가 있어서 온 거야."

"할 얘기라니?"

그녀의 표정을 보니 희소식은 아닌 것 같았다.

아마 지금껏 말해주리라 굳게 믿고 있었던 얘기들을 해주려는 모양이었다.

"내 옆에 앉아볼래?"

도아는 굳이 좁은 계단에 앉아 나를 옆에 앉혔고, 그 덕분에 서로의 팔은 민망할 정도로 부대껴왔다.

그녀의 따듯한 체온이 고스란히 느껴졌다.

"지금부터 할 얘기는 내 병에 관한 거야."

"힘들어도 끝까지 들어줘. 알겠지?

힘들다니, 역시 좋지 않은 얘기였다.

"…응."

"어디부터 얘기를 해야할까."

"나 사실 주기적으로 수술을 해야 돼. 벌써 2번 정도는 받아왔어."

"수술?"
"응, 병을 지연시켜 주는 수술."
갑작스러운 비하인드였다.
그녀가 수술을 주기적으로 받아야 한다는 건 한 번도 들어보지 못하던 소리였다.
"수술만 하는 거야?"
"그런 거라면 소원이 없겠네요."
"수술이 끝나고 나면 또 한참을 입원해서 일정 기간 동안 신경들을 회복시켜 줘야 돼."
내가 생각했던 것보다 훨씬은 더 무거운 내용들이었다.
그녀에게 이런 사연이 있었다는 사실에 머리가 아파온다.
도아는 내가 생각하는 것보다 훨씬 더 힘든 삶을 살아왔으며, 나로서는 헤아리기 어려울 만큼의 무게를 짊어지고 있었다.
"진짜 너무하지 않아?! 한창 팔팔한 나의 청춘을 뺏어간다니."
"…뭐. 정호랑 더 오래 있으려면 이 정도는 감수해야지."
장난기 묻어있는 그녀의 목소리를 되새기자, 이 이야기의 목적을 알 것 같았다.

지난날 동안 느끼던 불안감은 결국 현실로 다가와 있었다.

"…이번엔 언제 돌아올 건데."

그녀는 여린 미소를 지으며, 내 손을 꽉 조여왔다.

"…평소보다는 더 길어질 것 같아. 그래도 난 반드시 이겨낼 거야. 약속할게."

"누구 여자친군데 당연히 이겨내야지. 병 따위한테 지면 앞으로 데이트 안 할 거야."

"그건 좀 너무한데?"

우리는 애석한 눈빛을 주고받았다.

큰 결심을 하고 말해준 그녀에게 부담을 주고 싶지 않았기에, 나는 애써 담담한 척을 하였다.

편한 마음으로 그녀를 보내주고 싶다.

"나 나름대로 열심히 살아가고 있을 테니까, 정호 너도 그렇게 해 줄 수 있지?"

"조금 힘들겠지만 노력해 볼게."

"정직하긴. 이럴 땐 '당연하지'같은 든든한 멘트를 날려야지!"

그녀는 후련하다는 듯, 숨을 크게 내쉬며 계단에서 일어났다.

"가게?"

"응, 가야지."

오늘따라 그녀의 목소리가 훨씬은 애달프게 들려온다.

나는 한 발짝씩 멀어지는 뒷모습을 그저 바라볼 뿐이었다.

"정호야."

그녀가 현관문을 엶과 동시에 내 이름을 불렀다.

"응?"

"언젠가 다 나아서 내가 건강한 모습으로 돌아온다면, 그땐 나와 결혼해 줘."

정말이지, 마지막까지도 나를 힘들게 만드는 그녀다.

"기다릴게."

그렇게 그녀와 나는 다시 한번 이별을 하게 되었다.

문이 닫히는 순간, 그 자리에서 아무 저항 없이 쓰러져 버렸다.

도아는 다시 한번 내 곁을 떠나갔다.

참아왔던 눈물이 터져 나왔다.

주체할 수 없이 흐르는 눈물은 나의 시야를 뿌옇게 가렸고, 머리는 누군가 있는 힘껏 쥐어짜듯

미친 것처럼 아파왔다.

또한 마취가 풀린 것처럼 쌓였던 통증들이 파도처럼 깊게, 아주 깊게 관통해 오는 것 같았다.

나는 하염없이 넋이 나간 사람처럼 울기만을 반복했다.

이 상황을 돌파해 나갈 생각 따윈 들지 않았다.

앞으로 어떻게 살아가야 하지? 이제부터 도아가 없는 삶이라고?

혼자는 싫다. 또다시 미움받기 싫다.

드디어 빛이 보이기 시작했는데….

애써 괜찮은 척 그녀를 보내주었지만, 가슴이 더럽게 아파지기 시작한다.

그녀가 없는 삶 따윈 죽고 싶다.

눈물이 메말라 나오지도 않을 때쯤에서야 나는 소파에 앉아 조용히 마음을 달랬다.

한참을 울어버린 탓에 하루 염분 섭취량은 다 채운 느낌이었다.

가슴의 격통이 지속될수록 희미해졌던 판단력은 서서히 돌아오기 시작했다.

간만에 얼마나 울었는지 속이 다 후련해졌다.

어느 정도 진정이 되자, 꿈이 아니라는 것을 자각시키듯 차가운 현실이 다가온다.

덕분에 이성적인 판단이 가능해졌다.

내가 지금 할 수 있는 일은 무엇일까.

남은 시간 동안 아무것도 안 하기엔 너무 아깝고 허무하다는 생각이 들었다.

차고 넘치는 게 시간인데 뭐든지 차근차근 해내가면 되지 않을까.

그녀의 말처럼 나 나름대로 열심히 살아가면 되는 게 아닐까.

…나 까짓게 잘 해낼 수 있을까.

솔직히 확신이 서질 않는다.

지금까지 무엇 하나 스스로 이루어내지 못하던 내가 잘 해낼 수 있을까.

젠장. 약한 소리 할 틈은 없다. 해내야만 한다.

꼭 모든 것을 이루어낸 후, 멋진 사람이 되어 다시 만난 그녀에게 청혼을 할 것이다.

이게 현재로써 나의 최선이다.

제5화

도아가 내 곁을 떠나고 10년이라는 시간이 흘렀다.

긴 시간 동안 치열한 사회 속에선 많은 일을 겪었고 많은 경험을 했다.

대학과 직장이라는 세계는 고등학교라는 작은 사회와는 차원이 달랐으며, 나는 단지 우물 안 개구리에 불과했다는 것을 알 수 있었다.

적어도 나보다 불행한 사람 따윈 없을 것이라 생각했다. 적어도 나보다 비약한 환경 속에서 살아온 사람은 없을 것이라 생각했다.

그러나 이것은 어린 시절 나의 큰 오산이었다는 것을, 한낱 어리광에 불과하다는 것을 금방 깨달을 수 있었다.

여러 사람을 만났고, 세상엔 나보다 불행한 사

람이 많다는 것을 알았다.
이 사람들은 나 같은 것보다 훨씬 굳건하게 빛나고 있었다.
저마다 아픈 사정을 가슴 한편 품고 있었지만, 이딴 것에 전혀 굴하지 않았으며 자기만의 방식으로 극복해 나아가고 있다는 것을 알 수 있었다.
물론 그들을 본받고 싶다는 마음이 뜻대로 되지는 않았다.
나는 점점 나이가 들수록 성숙해지는 것이 아닌 어리숙해지고 있다는 것을 느꼈고, 많은 경험을 했다고 해서 그 경험이 나의 양분이 되는 것은 아니었다.
남들은 스스로를 꺾어가며 역경을 풀어나가고 있었지만, 나는 아직도 고등학교 시절 그대로 멈춰있었다.
그날의 고통이 좀처럼 사그라지지 않는다.
그녀가 잊혀지지 않는다.
성숙한 어른이 되지 못한 걸까. 원래 어른이란 게 아픔을 견디면서 살아가는 존재인 걸까.
매일 그녀의 메일로 문자를 보낸다.
오늘 무엇을 했는지, 무엇을 먹었는지 등.

내가 하루하루 너를 잊지 않고 살아간다는 것을 알려주기 위해.

언젠간 그녀가 나의 문자에 답장하기를 기대하며.

고등학교를 졸업하고는 그럭저럭 나쁘지 않은 수도권 대학에 입학했다.

중학교를 무의미하게 날린 것 치곤 준수한 성적을 받아왔다.

다른 쪽으로 굴러가는 머리는 안 좋았어도, 공부 머리는 괜찮았던 것 같다.

대학 합격증을 받은 날엔 혼자 숨죽여 울었었다.

아마 모든 고등학교 과정을 수료하고 남은 것이 고작 합격증 하나라는 사실에 지독한 공허함을 느꼈던 것 같다.

내가 대학에 붙었다 한들 아무도 알아주지 않았다. 그 누구도 축하해주지 않았다.

2년이란 시간 동안 친구를 사귀는 것은 불가능에 가까운 일이었다.

워낙 중학교 때부터 '기분 나쁜 녀석'이라는 꼬

리표를 달고 살아온 탓에, 고등학교에서는 이미 나에 대한 소문이 잔뜩 퍼져있었다.

그래도 대학 생활은 꽤 재밌었던 것 같다.

나는 여기서 다양한 경험과 가벼운 소양들을 배울 수 있었다.

살면서 인상이 착해 보인다는 소리도 처음 들어봤다.

사랑을 받으며 자라 온 것이 느껴지는 사람. 빈곤하고 부족한 환경에서 버티며 자라 온 것이 느껴지는 사람. 매사가 부정적이고 극단적인 사람.

정말 많은 사람을 만났었다.

그중에서 특별했던 사람을 한 명 뽑자면, 이름은 장건우.

잠깐 스쳐 지나가듯 대화를 했던 터라 얼굴은 자세히 기억나지 않는다.

항상 긍정적이고 밝은 이미지. 나와는 정반대의 인상이었다는 것 정도?

우리의 첫 만남은 신입생 환영회라는 명목하에 진행되었던 술자리였다.

그때 당시 북적이는 것과 거리가 멀었던 나는 밖에 나가 가만히 숨을 돌리고 있었다.

마냥 어색하고 거북하기만 했던 것 같다.
"잊지 못하는 사람이라도 있나 봐?"
그 사람이 문을 열고 나와 날 보자마자 했던 말이다.
첫인상은 세상 걱정 없고 카르페디엠을 외칠 것만 같은 용모였다.
"아 미안, 혼자만의 시간을 방해한 건가?"
"아니에요, 괜찮습니다."
담뱃불을 붙이던 그는 왠지 신비한 느낌이 들었다.
"혹시 방금 했던 말, 무슨 의미인지 물어볼 수 있을까요?"
나는 일면식도 없는 사람에게 모든 것을 꿰뚫려 버린 것 같아 대화를 더 이어갔다.
"별 뜻 없었어. 그냥 딱 보니 그런 눈을 하고 있더라고."
"그런 눈인 건 어떻게 알 수 있죠?"
"하하 초면인데 너무 심문하는 거 아니야?"
"…아, 죄송합니다."
"뭐. 나도 너 같을 때가 있었으니까."
그는 나와 처지가 비슷한 사람이었다.
"이것도 인연인데 내 고등학교 때 얘기나 해줄

까?"

"…한번 들어볼게요."

그렇게 나는 묘한 동질감이 드는 그의 얘기에 천천히 빠져들어 갔다.

"고등학교 3년 내내 좋아했던 여자가 있었어. 그 여자애는 항상 동경의 대상이었지."

"모든 일에 건성이란 것이 없었고, 사람을 사로잡는 힘이 가득해서 매년 반장을 했었어."

"정말 흠잡을 게 없는 사람이라 해야 하나."

사람을 사로잡는 힘이라는 부분에서 도아의 모습이 겹쳐 보였다.

"그 굉장한 분이랑은 이어졌나요?"

"…아니, 우린 이어질 수 없는 관계였어."

"이어질 수 없다니 무슨 소리죠?"

"여기까지! 나중에 다시 만난다면 이어서 얘기해줄게."

제법 흥미진진했건만 대화가 한창 무르익을 때쯤, 그는 얘기하는 것을 멈춰버렸다.

가게로 들어가는 그의 표정은 그다지 좋지 않아 보였다. 왜 대뜸 나서서 자신의 아픈 과거를 들추는 걸까.

도통 이해할 수가 없는 인간이었다.

언제 다시 얘기를 이어 들을 수 있을까하는 밍밍한 감정만이 가득해져 갔다.

그러나 이 아쉬움은 오래가지 않았다.

여유가 있지는 않았지만, 학교를 다니면서도 꾸준히 카페 아르바이트를 했었다.

주 업무는 주문을 받고 계산을 하는 일.

음료를 다 마시고서는 환불을 해달라하는 등의 망할 진상만 없다면 크게 어렵거나 귀찮은 일은 아니었다.

이런 변화 없는 나날의 연속 속 우리는 직원과 손님의 관계로 다시 한번 마주하게 되었다.

"여기서 알바 하나 보네? 머리 아플 정도로 시원한 아메리카노 한잔 부탁할게."

"아, 안녕하세요. 또 마주치네요."

"저기 앉아있을게. 우리 할 말이 남았잖아?"

나는 저번에 하던 이야기의 전말을 이어 듣기 위해 주문받은 아메리카노를 들고 직접 그의 자리로 찾아갔다.

"주문하신 음료 나왔습니다."

"어이코 감사합니다. 잠깐 앉아서 얘기해도 괜찮지?"

"네. 이제 마감 시간이라 한가해요."

그의 청량한 목 넘김 소리와 함께 우리의 이야기는 다시 시작되었다.

"전에 어디까지 얘기했었더라?"

"선배가 이야기 속 여성분이랑 이어질 수 없다는 것까지 얘기하셨어요."

"술기운 때문에 별의별 소리를 다 했었구나."

하긴 그때 당시를 되짚어보면 그의 눈은 반쯤 풀린 상태로 나를 바라보고 있었던 것 같다.

신나가지고 술술 불더니 약간은 후회하는 눈치였다.

"유독 너만 보면 거리낌 없이 이야기가 나오는 것 같네. 아무튼 그 사람과 나는 연인 사이였어."

"짝사랑하는 거 아니었어요?"

"난 좋아했다고 했지, 짝사랑했었다고는 얘기 안 했는데?"

보통 그렇게 슬픈 눈으로 좋아했다고 하면 짝사랑이라 생각하지 않나?

역시 평범한 사람은 아닌 것 같았다.

"…우선 계속 얘기해주세요."

"뭐. 아무튼 고등학생 땐 서로 사랑하는 감정만 있다면 무엇이든 극복할 수 있으리라 믿었던 것 같아."

"근데 사랑의 힘이라는 게 그리 대단한 놈은 아니더라~"

"몸이 떨어지니까 마음도 순식간에 식어버렸어."

여유로운 것 같았던 그의 표정이 점점 어두워져 가는 것이 느껴졌다.

"우리는 모든 게 잘 맞았지만 유독 미래에 대한 성향이 너무나도 달라서 대학도 서로 동떨어진 곳으로 가버렸어."

"이게 우리 사이가 금 가기 시작한 계기였던 것 같아."

"자주 만나지 못하다 보니 서로에 대한 불신은 날이 갈수록 심해졌고, 연락의 빈도는 기하급수적으로 줄어들었어. 그냥 누가 봐도 이 사람들은 곧 헤어지겠구나~하는분위기?"

"결과는 뻔하지. 까였어, 그 사람한테. 자주 만나지 못할 바엔 그냥 헤어지는 편이 낫다나 뭐라나."

그의 이야기를 끝까지 듣자 묘한 동질감이 들던 이유를 알 것만 같았다.

이 사람 역시 매일을 불안에 떨며 예고 없는 이별을 준비하고 있었다.

"극복은 하셨나요?"

"…글쎄, 솔직히 지금도 못 잊은 것 같아."

그는 멋쩍은 웃음을 지으며 남은 음료를 입에 가져다 댔다.

"굳이 그 사람에 대해서 잊어버리려고 안간힘 쓰고 싶진 않아."

"…왜죠?"

"그야 한때는 세상 누구보다 사랑했던 사람인 걸."

"커피 잘 마셨어. 좀 바쁜 몸이라 약속이 있어서 먼저 일어나볼게."

그렇게 그와는 대학 졸업을 할 때까지 마주칠 수 없었다. 여러 사람들에게 그의 행적을 물어보고 다녔지만, 그런 사람이 우리 학교에 있냐는 등의 반응이었다.

잠깐 꿈이라도 꾼 것 같았다.

그는 왜 먹구름만 가득 껴있는 기억을 잊지 않으려고 하는 걸까.

보통 사람은 자신의 괴롭고 질척거리는 기억을 잊어버리고 싶어 한다.

이것은 불가항력이다.

왜인지 시간이 많이 지난 지금도 그의 모습이

나의 모습과 겹쳐 보이곤 한다.
그래. 난 아직도 도아를 잊을 수 없다.
나와의 추억을 가득 품고 있는 그녀를 기억 속에서 지워버린다는 것은 불가능하다.
언제까지 기다려야 우리는 다시 만날 수 있는 걸까.
나는 그의 행적에 대한 의문만을 가득 품은 채 길게만 느껴지던 대학교를 졸업했다.
졸업을 하고 나서는 큰 관심사를 못 찾았던 것 같다.
그 시기 주변 사람들은 각자 전공에 맞는 직업과 분야 등을 찾아, 한창 바쁜 시기를 보내고 있었다.
어느 정도는 예상했던 결과였다.
나름대로 오래전부터 계획이란 것이 있었던지라 이것을 뛰어넘을 정도의 관심사가 나올 것이라는 생각이 들지는 않았었다.
카페 아르바이트는 근 2년 정도 더 일하게 되었다.
슬슬 결혼할 나이가 되자, 주변에서는 맞선을 봐주겠다는 얘기가 수두룩하게 들려왔다.
모아둔 돈도 많고, 성실하고, 심성이 착해서 분

명 잘될 거라나 뭐라나.

나는 그럴 때마다 정중히 사양하였다.

딱히 누군가를 만나고 싶다는 생각도 들지 않았으며, 지금껏 모아둔 돈을 타인을 위해서 쓰고 싶지는 않았다.

그녀가 없는 계절의 연속은 무의미했다.

이 나무의 벚꽃이 다 지면 내게 돌아와 줄까.

이 바닥의 뜨거운 열기가 전부 식으면 내게 돌아와 줄까.

이 서늘한 바람이 냉혹해지면 내게 돌아와 줄까.

이 모든 눈꽃이 지면에 스며들어 땅을 촉촉이 적신다면 내게 돌아와 줄까.

매년, 매 계절, 만약이라는 가능성을 외치며 하염없이 버티고 버틴다.

우리가 다시 만나지 못한다는 가정은 생각하지도 않고 있다. 꼭 그녀를 만나는 날이 올 것이다.

나는 그렇게 믿음을 꺾지 않고 하루하루를 살아간다.

여느 때처럼 카페 아르바이트를 하고 있었다.

조금 다른 점이 있다면 이상하리만큼 눈이 심하게 내린다는 것.

눈이 시야를 뒤덮을 정도로 매섭게 내리는 탓에 손님은 단 한 명도 오지 않았다.

결국 손님이 안 온다는 이유로 일찍 영업을 마치자는 가게 사장님의 지시가 떨어졌고, 나는 집으로 돌아갈 채비를 해야만 했다.

일이 일찍 끝나도 할 게 없어 곤란할 따름이었다.

그때, 익숙한 입구 종소리와 함께 누군가 가게 안으로 들어왔다.

이런 날씨에도 커피를 마시러 오다니. 정말 대단한 열정이라는 생각이 들었다.

우선 급한 데로 가게 앞치마를 매고 응대 준비를 했다.

끈을 제대로 묶지 않아, 줄이 대롱대롱 거리는 상태로 카운터에 향한 나는 놀라지 않을 수가 없었다.

그 열정 가득한 손님은 젊은 학생이나 직장인 따위가 아닌, 60대 정도의 연세가 있으신 손님이었다.

"…아, 어서 오세요."

카운터 앞까지 다가온 손님은 왠지 할 말이 있는 듯 주변을 어색하게 둘러보았다.

"혹시 이정호라는 사람 있나요?"

이정호? 이건 내 이름인데?

순간 처음 겪어보는 상황에 뇌의 조직들이 모두 굳어버리는 것 같았다.

"…이정호는 제 이름인데, 무슨 용무라도 있으신가요?"

내가 신원을 밝히자, 상대방은 놀란 듯 입을 틀어막으며 숨을 들락날락 거렸다.

"어엿하게 컸구나. 아줌마 기억 안 나?"

아마 내가 기억을 못한다는 건 어릴 적 만났던 사람인 것 같다.

이렇게 나랑 나이 차이가 많은 사람과 연이 있었다는 것에 신기함이 느껴졌다.

"네. 죄송한데 누구시죠?"

"어릴 때 도아랑 자주 놀러 오더니, 아줌마 조금 섭섭해지려 하네."

도아. 오랜만에 들어보는 그녀의 이름에 심장이 떨려왔다.

놀러 갔다는 건….

다시 기억을 되짚으며 유심히 보자, 어렴풋이

도아네 아줌마와 유사해 보이기 시작했다.

주름이 많이 생기고 체구도 조금 작아지긴 했지만, 명백히 내가 아는 아줌마였다.

"아줌마?"

"이제야 기억이 났구나. 하긴 옛날에 비해 얼굴이 쭈글쭈글해졌지."

생각지도 못한 재회였다.

"어떻게 여기까지 오셨어요? 아니 애초에 제가 여기서 일하는 건 어떻게 알고…."

"다 아는 방법이 있지~"

다짜고짜 고향에서 2시간 거리나 되는 곳을 방문하다니. 바보처럼 당황할 수밖에 없었다.

"여기까지 오느라 주름이 더 생긴 것 같다 이 놈아."

"하하 부정은 못 하겠네요. 머리도 좀 하얘졌고 주름도 많아지고."

나는 자연스레 미소를 지으며 오래간만의 반가움을 표현하기 위해 농담을 던졌다.

나의 의도를 파악했는지 아줌마는 변함없이 다정한 웃음을 지으며 농담을 맞받아쳤다.

"정호도 목소리가 걸걸한 게 아저씨가 다 됐는걸?"

"아저씨라기엔 아직 팔팔한 20대입니다."
마음이 편안해진다. 아줌마는 우리 엄마가 떠난 이후로 유일하게 기댈 수 있었던 성인 여성이었다.
가끔 아줌마를 볼 때면 나를 꼭 안아주며 머리를 쓰다듬어 주던 그리운 엄마가 생각난다.
나이가 들었는지 어릴 때도 참고 넘겼던 엄마의 빈 자리가 점점 크게 느껴지는 것 같다.
갱년기인가.
아직 갱년기가 올 만한 나이는 아닐 텐데….
"생활은 어떻니, 혼자 지낼만해?"
"뭐. 근처에 월세 집 하나 구해서 지내고 있죠."
"밥은 잘해 먹고?"
"대충 인스턴트…."
감격스러운 재회도 잠시 아줌마는 엄마처럼 잔소리할 준비를 하기 시작했다.
"그런 건강에 안 좋은 것만 먹으니까 이렇게 축 늘어져서 힘이 없지."
"이제 잔소리 들을 나이는 아니거든요."
따듯하다.
아줌마의 말 하나하나에 다정함이 스며들어있

다.

우리는 거세게 내리는 폭설의 존재조차 잊은 채, 추억 속에 잠겨 끊임없이 얘기를 나누었다.

사장님도 나의 사정을 듣자, 나갈 때 문단속만 잘하라는 말과 함께 가게를 빌려주었다.

"일은 그만두셨어요? 평일에 여기까지 오시고."

"진작에 그만뒀지. 나이가 나이인지라 허리가 아파서 더는 못하겠더라, 하하."

이제 아줌마도 허리가 잔뜩 굽어서 지팡이를 쓰는 나이가 온 걸까.

긴 시간 동안 나만 빼고 모든 것이 변한 것 같아 약간의 소외감과 울적함이 느껴졌다.

"그래도 다행이구나, 정호 네가 이런 도시에 와서 잘 지내고 있다는 게 아줌마는 너무 뿌듯하다."

"제대로 된 직장은 아직 구하지 못한 거니?"

"하고 싶은 일이 있어서 일단 돈부터 모으고 있어요."

"하고 싶은 일?"

"오래전부터 꽃집을 하고 싶었어요. 나중에 개업하게 된다면 정식으로 초대해 드릴게요.

"정호한테 초대도 받고, 완전 영광인걸."

아줌마는 꽃집을 하고 싶은 이유에 대해 캐묻기보단 장하다는 듯, 나의 머리를 쓰다듬어주었다.

세월이 느껴지는 손길에 왠지 모를 울컥함이 밀려오기 시작했다.

이것이 진정한 어른인가, 라는 생각이 들었다.

그 후로 시간이 얼마나 흘렀을까. 슬슬 그녀의 상태에 관해 묻고 싶을 쯤이었다.

"맞다. 가장 중요한 걸 얘기 안 하고 있었구나. 요즘 자주 깜빡깜빡한단 말이지."

"정호야, 오늘 시간 비어있니?"

"네, 보시다시피 손님이 안 와서."

"같이 도아 보러 갈까?"

순간 정신이 아찔해졌다.

"진심으로 하시는 소리예요? 지금 만날 수 있어요?"

"물론이지."

드디어 그녀를 만날 수 있다.

드디어…. 드디어….

머릿속은 그녀를 만날 수 있다는 생각만으로 가득 찼으며, 사고가 단순해지기 시작했다.

수년간 기다림의 종착역이 보이기 시작했다.

내가 지금 꿈을 꾸고 있는 건지 의심이 들어 볼까지 꼬집어 보았지만, 살덩어리는 얼얼할 정도로 통증이 느껴져 왔다.

이건 꿈이 아님을 확실히 느낄 수 있었다.

나는 한 치의 고민도 없이 그녀와의 재회를 위해 고향으로 내려가기로 결정했고, 급한 대로 30분 뒤에 있는 기차표 2장을 예매하였다.

"그냥 문자로 얘기했어도 될 텐데 굳이 여기까지는 왜 오신 거에요?"

"휴대폰 쓰는 방법을 알아야 연락하지, 이놈아."

폭설을 뚫고 여기까지 온 사람 주제에 휴대폰 쓰는 방법은 모른다니, 이해가 잘 가지 않았다.

"도아한테 보내라 하면 되지 않아요?"

"시끄러, 남자가 왜 이리 말이 많니."

아줌마는 아무렇지 않은 듯 대답했지만, 나의 질문을 분명 회피하였다.

도아가 아직 완전히 회복하지는 못한 걸까.

괜스레 더해지는 걱정과 함께 기차에 발을 내디뎠다.

기차를 타고 가는 내내 좀처럼 흥분감이 사라질 기미가 보이지 않았다.

몸에는 힘이 잔뜩 들어갔으며, 한시라도 일찍 도착하기 위해 기차의 속도를 최대한 끌어 올리고 싶었다.

이런 상황에 흥분하지 않을 수 있는 사람이 있을까.

만약 존재한다면 그 사람은 정신과 상담을 받아야 함이 분명할 것이다.

설레는 마음을 품고 오랜만에 도착한 고향의 땅은 묘한 안락함이 느껴졌다.

익숙하던 풍경들에는 모두 낯선 건물들이 자리하고 있었고, 정말 내가 살던 곳이 맞는지 의문이 들었다.

"어색하지? 너 없는 동안 많이 변했어~"

"조금 어색하네요. 못 보던 건물들 투성이고…."

"원래 있었던 길은 없어지고 새로 포장한 도로들이 많아서 헷갈릴 거다. 아줌마만 믿고 따라와."

아무리 그래도 내 고향인데 헷갈릴까 했지만, 아줌마의 말은 과장이 아니었다.

이곳은 더 이상 내가 알고 지내던 곳이 아니었다.

모든 것이 낯설게 느껴지지는 않았지만, 확실

히 아줌마가 없었더라면 헤매고도 남았을 것 같았다.

"이 자리가 원래 부동산이었는데, 기억하니?"

"기억하고 말고요. 설마 그 자리에 이렇게 큰 영화관이 생긴 거예요?"

"아마 2년은 됐을 거야."

조그마한 시골이었던 나의 고향은 점점 도시의 형태로 거듭나고 있었다.

어릴 때는 마냥 도시의 반짝이고 높은 건물들을 동경했었지만, 지금은 시골의 투박함이 더 좋게 느껴졌다.

그녀와 함께했던 추억이 배어있는 건물들 하나하나가 사라져간다는 게 영 마음에 들지 않았다.

우리는 시간을 지체하지 않고, 예전 함께 살았던 동네로 걸어가기 시작했다.

걸어가던 중, 주택들 사이엔 어울리지 않는 대병원이 장엄하게 서있었다.

보통 병원은 번화가 주변에 위치해야 이상적일텐데, 2층짜리 건물들 사이 우두커니 서있는 게 뜬금없다고 느껴졌다.

"병원이 왜 이런 자리에 있죠?"

"들리는 소문으로는 돈 많은 부자가 남는 땅에

지어버렸다는데….”

“정확한 건 아줌마도 잘 모르겠구나.”

“도아는 여기 있는 건가요?”

곧 있으면 그녀를 만난다는 생각에 마음이 붕 떠 목소리가 커지기 시작했다.

“아직 더 가야 돼. 따라오거라.”

그러나 아줌마는 고개를 저으며 병원을 지나, 주택가로 들어가기 시작했다.

이미 다 회복하고 집에서 쉬고 있는 건가?

병원에서 쉬고 있으리라 굳건하게 믿고 있던 그녀가 여기 없다는 사실에 기운이 빠지기 시작했다.

“…벌써 회복하고 집에서 쉬고 있는 건가.”

나는 혼잣말처럼 중얼거리긴 했지만, 내심 아줌마의 대답이 돌아오는 것을 기대하고 있었다.

“…”

대답은 돌아오지 않았다.

방금까지 다정한 미소를 품고 있던 아줌마는 어느샌가 딱딱하게 굳어가고 있었다.

본능적으로 불안감이 밀려왔다.

부정적인 생각들이 기회를 엿보고 먹잇감을 사냥하는 비단뱀처럼 스멀스멀 나의 몸을 압박 해

오기 시작했다.

어둡다. 여태껏 잊고 지냈던 그 질척하고 더러운 기분이 다시금 나를 잠식시킨다.

아줌마는 힘도 제대로 못 내는 손으로 나를 꽉 잡고 터벅터벅 걸어갔다.

이 이야기의 결말을 보기 전까진 어떠한 말도 내뱉을 수 없었다.

단순한 두려움이었다.

결말쯤은 아줌마에게 물어보면 알 수 있는 것이었지만, 나의 두 눈으로 똑똑히 확인하고 싶어졌다.

"다 왔다."

얼마나 걸었을까. 규칙적으로 정렬된 주택 사이 넓은 마당 같은 것이 보이기 시작했다.

마당 전체를 차지하고 있는 것은 수많은 비석들이었다.

저마다의 사람들이 비석 앞에 무릎을 꿇고선, 기도를 하고 있었다.

"거짓말. 어째서…."

분통함을 넘어선 감정이 나의 눈시울을 붉게 만들었다.

머릿속에서 생각할 수 있는 용량이 초과하자

헛웃음이 나오기 시작했다.

숨이 잘 쉬어지지 않았다. 힘이 풀려 시야가 흔들렸으며 푸석푸석하게 메마른 뺨으로는 한 줄기의 눈물이 흘러내리는 것이 느껴졌다.

"도아는 틈만 나면 정호 널 보고 싶어 했어…."

아줌마는 제 몸을 가누지 못하는 나를 붙잡고 그녀의 비 앞으로 직접 데려가 주었다.

김도아. 비석에 그녀의 이름이 적혀 있다.

그녀가 가장 좋아했던 꽃인 물망초는 오래되어 생기를 잃은 듯한 모습으로 쓰러져있었다.

"장난하지 마. 이러면 안 되는 거잖아……!"

"꼭 이겨내겠다며…. 약속하겠다며…."

옆에서 같이 눈물을 흘리고 있는 아줌마를 보자 그녀의 죽음이 뼈저리게 다가오기 시작했다.

도아는 더 이상 없다.

작은 액자 속 환하게 웃고 있는 도아의 모습은 세상 누구보다 아름다워 보였다.

내가 그때 잠에 들지 않았더라면. 집 앞에서 팔던 빵을 더 많이 사줬더라면. 조금이라도 말싸움을 져줬더라면.

더 애절하게 사랑했더라면….

그렇게 우리의 길고 길었던 술래잡기는 한 명

의 기권으로 허무하게 막을 내렸다.

나는 한참을…. 납골당에 있던 사람들이 다 쳐다볼 정도로 한이 맺힌 눈물을 흘리며 목 놓아 울부짖었다.

"…도아가 꼭 전해주라더라. 엄마는 절대 읽지 말라면서 얼마나 경고를 하던지."

그때. 옆에 있던 아줌마는 눈물을 참으려는 듯 있는 힘껏 입술을 꽉 깨문 채 나에게 편지 하나를 건네주었다.

정호에게

편지봉투의 하단에는 도아의 글씨체로 적혀있는 나의 이름 석 자가 보였다.

나는 떨리는 손을 최대한 억누르며, 편지를 건네받았다.

편지를 읽기가 두려워졌다. 이것을 읽고 나면 어떻게 될지도 모르는 내 자신이 두려워지기 시작했다.

이번에는 또 어떤 말들로 나의 가슴을 후벼팔까. 받을 고통이 크다는 것은 누구보다 잘 알고 있었지만, 그녀가 마지막으로 남긴 말을 못 본채 넘길 수는 없었다.

내 선택지는 편지를 펴보는 것, 단 하나뿐이다.

To. 나의 연인에게

오랜만! 거의 10년만인가?

몸이 다 나으면 건강한 모습으로 정호 너랑 다시 한번 마주하고 싶었는데, 지금 상태를 보니 무리일 것 같네.

아저씨가 된 정호는 벌써 어엿하게 월급을 받으면서 자기 집도 있는 멋진 어른이 되어있겠지?

아마 귀찮다고 면도도 잘 안 할 것 같아. 정곡이지?!

확실히 정곡을 찔렀을 거야.

죽기 전 정호가 주는 꽃다발 한번 받아보는 게 소원이었는데, 오래전부터 꿈꾸던 꽃집은 차렸으려나?

혹시라도 아직 꽃집 이름을 정하지 않았다면 '연화'가 좋을 것 같아.

뭔가 고급지고 반짝반짝하는 느낌?

남자친구님은 센스 만점이니까 내가 뭔 소리 하는지 이해했으리라 믿을게. 헤헤.

지금쯤 편지 읽으면서 엄청나게 울고 있겠지~

맞다. 나 사실 여태까지 숨기고 있던 게 하나 있

어. 거짓말처럼 느껴지겠지만 우리가 처음 만난 건 초등학교 때가 아니야.

우린 이미 초등학교도 입학하기 전, 어린 나이에 병원에서 만났거든.

기억 안 나지? 바보 이정호.

당시 병원에 있는 모두가 기분 나빠하고 꺼려하던 나에게 가장 먼저 다가와 준 건 정호 바로 너였어.

조그만한 주제에 여자 마음을 얼마나 뒤숭숭하게 만드는지.

…그래도 기뻤어. 음침하게 혼자서 갇혀있던 나를 밖으로 깨내 준 사람.

그때부터 이정호는 나의 첫사랑이자 히어로가 됐던 것 같아. 이렇게까지 말했는데 기억 안 난다고 하면 나 진짜 서운하다?

우리끼리 갔을 때 땄던 꽃은 액자 옆에 놓아달라고 엄마한테 부탁했었는데 잘 있으려나~

편지를 읽을 때쯤이면 내가 이 세상에서 사라져 있을 거란 생각에 조금 적적해지네….

우리 이제부터 조금 진지한 얘기를 해볼까?

우선 제대로 된 작별 인사 없이 편지만 놓고 가버려서 미안해….

마지막 순간까지 최대한 함께하고 싶었는데, 내 몸이 더 이상 버티지 못할 것 같네.

맨날 혼자서 도망가고, 잊을 수 없는 상처만 주고. 완전 이기적인 여자지…?

괜찮다면 용서받고 싶어. 나 정호한테만큼은 미움받기 싫거든.

그리고 내 곁에 있어 줘서 고마웠어.

죽어도 여한이 없을 정도로 김도아라는 삶에 만족스러웠어. 진심으로!

비록 나는 정호한테 못 해준 게 너무 많은 것 같아 마음이 편하지는 않지만….

나 없다고 예전같이 우울한 모습으로 돌아가면 안 된다?

참고로 정호는 직설적인 편이니까, 나보다 마음씨가 따듯한 여자를 만나.

그래야 미움 안 받고 잘 살지.

또 정호는 할 줄 아는 요리가 적으니까, 나보다 요리를 잘하는 여자를 만나.

맨날 볶음밥만 먹으면서 살 순 없잖아?

무엇보다 정호는 나에겐 과분한 사람이니까, 나보다 훨씬 빛나는 사람을 만나.

정호라면 충분히 잘살아나갈 수 있을 거야.

난 그렇게 믿고 있어.

아아~ 하고 싶은 말이 산더미처럼 많은데 조금은 참아야겠지?

만약….

만약 우리가 시간을 거슬러 다른 시대에 태어났더라면, 조금이라도 이 이야기의 서글픈 결말이 달라졌을까요.

제가 조금이라도 당신을 사랑하는 마음이 컸더라면 신께서는 우리에게 기회를 주셨을까요.

저지른 죄가 많아 이번 생에 대가를 치른 것이라면, 다음 생이고 그다음 생이고 다시 한번 당신을 만나러 가겠습니다.

제가 다음 생에라도 당신을 찾아간다면, 그땐 부디 저와 결혼해 주세요.

죽어서도 당신만을 사랑하겠습니다.

나를 잊지 말아 주세요.

From. 김도아

그녀가 남긴 편지 위로 하염없이 눈이 떨어져

내렸다.
눈인 걸까, 아니면 나의 눈물인 걸까.
편지 속 흑연은 진득이 번져 그녀의 이름 사이사이를 갈라놓는다.
나에게 남은 건 무엇일까. 이젠 생각하기도 지쳤다.
2031년 새하얀 겨울날. 나는 미루어두었던 계획을 다시 실행하려 한다.

일말의 연화와도 같은 사랑이었다.

에필로그

시간은 빠르게 흘러간다.

여전히 그녀가 없는 계절의 순환은 무의미하게 느껴질 뿐이다. 오늘도 바보처럼 머릿속에 그녀를 그려본다.

거리에서는 제각각 좋아하는 사람과 영원해 보이는 사랑을 나눈다.

누군가는 수줍게 손을 잡으며 뺨이 붉게 달아오른다. 또 다른 누군가는 주변 눈치를 보지 않고 애정 어린 입맞춤을 나눈다.

모두 각자의 방식대로 사랑을 나누고 있다.

나 역시 나만의 방식으로 별 볼 일 없는 인생을 살아가고 있다.

—딸랑

"어서 오세요."

"안녕하세요."

"혹시 애인한테 기념일 선물로 줄만한 꽃 좀 추천받을 수 있을까요?"

자연스레 미소가 나온다.

"이 꽃은 어떠신가요?"

"우와! 엄청 이뻐요. 꽃 이름이?"

"물망초입니다."

손님은 따듯한 봄에 자라난 새싹처럼 순수한 미소를 품은 채 나에게 질문한다.

"꽃말은 어떻게 되나요?"

오늘도 나는 삶의 의욕을 찾게 된다.

"—날 잊지 마세요."

영원히 잊지 못할 그녀를 떠올리며.

- 끝 -